Ik wil niet kiezen tussen papa en mama

Bij dit boek hoort een lesbrief voor de basisschool en de middelbare school.
Meer informatie vind je helemaal achteraan in het boek, in de referentielijst.
De lesbrief kun je downloaden op www.clavis.be en www.nbdbiblion.nl.

NEDERLANDSE
KINDERJURY
2006

Daniëlle Vogels
Ik wil niet kiezen tussen papa en mama
© 2005 Clavis Uitgeverij, Amsterdam – Hasselt
Omslagontwerp: De Witlofcompagnie & Clavis
Met illustraties van Leo Timmers
Foto's: Daniëlle Vogels
Trefw.: echtscheiding, kinderen, verlies
NUR 213/243/193/180
ISBN 90 5954 035 2 – D/2005/4124/114
Alle rechten voorbehouden.

www.clavis.be
www.clavisbooks.nl

Voor Nederland: Biblion Uitgeverij, Leidschendam
ISBN 90 5954 035 2
Bestelnummer 52191
www.nbdbiblion.nl

DANIËLLE VOGELS

IK WIL NIET KIEZEN

Jongens en meisjes vertellen over de echtscheiding van hun ouders

TUSSEN PAPA EN MAMA

Met illustraties van Leo Timmers

VOORWOORD

Dit boek is niet bedoeld als aanklacht tegen ouders. Het wil herkenningspunten aandragen en een steun zijn voor kinderen en jongeren van wie de ouders niet meer kunnen samenleven. Volwassenen die het lezen, kunnen de beleving van kinderen en jongeren beter gaan begrijpen.

De jongens en meisjes uit Vlaanderen en Nederland die aan dit boek hebben meegewerkt, wil ik bedanken omdat zij bereid waren hun diepste gevoelens te delen. Hun ouders bedank ik omdat zij bereid waren hun kinderen zonder voorbehoud over de echtscheiding te laten vertellen. Geen van hen heeft iets aan de inhoud van de verhalen veranderd. Op verzoek van een moeder zijn enkele passages uit één van de hoofdstukken weggelaten.

Mijn dank gaat ook uit naar Nelly Snels van het bureau Klassenwerk in Vught, die mij liet kennismaken met een kind dat deelnam aan een gespreksgroepje van KIES (Kinderen in Echtscheidings Situaties, zie ook *www.klassenwerk.com*), en naar Marie-Hélène Deploige van het Centrum voor Psychoanalyse en Familietherapie in Leuven (*www.psychoanalyse-familietherapie.org*), die mij liet kennismaken met twee kinderen die zij begeleidde.

Daniëlle Vogels

INHOUD

DOOR DE RUZIES KON IK NIET SLAPEN

'Zal ik papa even bellen om te vragen of hij het goedvindt dat we aan een boek meedoen?' vraagt Jenny. Haar moeder zit naast haar op de leuning van de bank. 'Ik weet niet of hij thuis is, maar je kunt het proberen,' zegt zij.

Jenny pakt de telefoon. 'Hoi Femke,' zegt ze. 'Is papa thuis?' Ze heeft haar stiefzusje aan de lijn. 'Nee, is hij niet thuis? Geef mama dan maar even.' Jenny bedoelt de nieuwe vrouw van haar vader. Met haar heeft hij een dochter en een zoon gekregen. Ze heten Menno en Femke en zijn nu twee en vier jaar oud.

Jenny is tien jaar. Zij en haar twaalfjarige broer Rik wonen bij hun moeder en haar vriend Marc. Elke veertien dagen zijn ze een weekend bij hun vader. Hij vindt het prima dat Rik en Jenny meewerken aan dit boek. 'Ik ben benieuwd wat ze zullen vertellen,' zegt hij. 'Eigenlijk praten we niet veel over de scheiding.'

Rik zit op bed in zijn zolderkamer. Hij heeft een spijkerbroek aan en een donkerblauwe trui met capuchon. Van zijn haren heeft hij met gel stekels gemaakt. Zijn kamer is groot. In de hoek staat een blauw bankje. Daartegenover staat een bureau. Aan het plafond hangt een televisie. De schuine wanden van de zolder zijn wit en leeg.

'Toen pap nog hier woonde, sliep ik niet op zolder,' vertelt Rik. 'Als ik in bed lag, hoorde ik hem en mama vaak ruzie maken. Daardoor kon ik niet slapen. Dan begon ik te huilen en ging ik naar beneden om te zeggen dat ze moesten ophouden. Ze vonden het natuurlijk vervelend dat ik hen hoorde. "We zullen het niet meer doen. Ga maar weer lekker slapen," zeiden ze. Daarna zat ik nog met de gedachte dat ze ruzie hadden en dat ze niet gelukkig waren. Maar omdat ik moest slapen, zette ik dat uit mijn hoofd.'

'De volgende dag was het vaak weer hetzelfde. Daarom was ik kwaad, maar dat durfde ik niet te zeggen. Iedereen heeft wel eens ruzie, maar zo vaak kan gewoon niet meer. Ik hoorde het wel een paar keer per week.'

Ook Jenny vertelt in haar slaapkamer. Het behang op haar muren is wit met gele strepen. Boven haar bed hangen posters van popsterren. De kamer is kleiner dan de zolderkamer van Rik. Jenny heeft geen bankje. Alleen een bed, een nachtkastje en een ladekast. Daarop staan lijstjes met foto's. Jenny pakt er een. 'Dit ben ik met mijn vriendin bij papa in huis.' Op de foto staan twee lachende meisjes met grote zonnebrillen op hun neus.

Jenny kan zich niet veel herinneren van de ruzies tussen haar vader en moeder. 'Ik weet nog wel dat ik een keer achter ze aan naar boven ging. Ik luisterde bij hun slaapkamerdeur, omdat ik wilde weten waar ze het over hadden.' Ze kon het niet verstaan.

Rik denkt dat hij wel weet waar de ruzies over gingen. 'Pap en mam gingen steeds meer beseffen wat geld is; wat je er-

Rik en Jenny met hun moeder en haar vriend Marc.

mee kunt doen en welke belastingen ze moesten betalen.' Hij vindt het niet vreemd dat zijn ouders ruzie kregen. 'In het begin hou je heel veel van elkaar. Na een tijdje wordt dat minder. Dan ga je niet meer met zijn tweetjes naar het strand en zo.'

'Ik wist dat ze vaak ruzie hadden, maar niet dat papa een vriendin had,' vervolgt hij. 'Mama heeft dat ontdekt en toen is het misgegaan. Dat is niet leuk, natuurlijk. Maar eigenlijk liep het al niet goed tussen hen. Als het zo gaat, kun je het toch niet tegenhouden.'

Rik kan zich vaag herinneren dat hij de vriendin van zijn vader voor het eerst zag. 'Ze kwam hier toen mama een weekendje op stap was met vriendinnen. Papa maakte mij wakker en vroeg of ik even naar beneden kwam, omdat zijn vriendin er was. Ik zat op de bank naar mijn glas te staren, want ik durfde niet naar haar te kijken. Jenny kwam ook naar beneden. Zij was nog meer verlegen. Ze zei helemaal niks.'

Daar kan Jenny zich niks van herinneren. Zij vertelt over de eerste keer dat ze naar het nieuwe huis gingen van hun vader en zijn vriendin Jacqueline. Ze was toen vijf jaar, schat ze. 'Ik weet het nog als de dag van gisteren. Papa kwam ons 's avonds bij mama ophalen met de auto. Het was een halfuur rijden. Rik en ik stonden met zijn tweeën in het halletje en Jacqueline kwam naar ons toe. Het huis was veel groter en het zag er heel anders uit dan bij ons. Wij hebben tegels en daar lag laminaat op de vloer. Het was een beetje donker in de kamer, want er waren alleen kleine lampjes. Ze hadden een zwarte hond die Max heette. Ik zat een beetje verlegen op de bank en aaide hem.'

Wat ze verder tijdens het eerste bezoek heeft gedaan, weet Jenny niet meer. Ook niet of ze de vriendin van haar vader meteen aardig vond. Nu kan ze in elk geval goed met haar opschieten. 'Laatst vertelde Jacqueline dat ze papa tegenkwam in de disco. Zij was dronken en toen sleurde ze hem mee.' Jenny lacht: 'Dan had je geluk dat je dronken was, zei ik. Maar ze zei dat ze papa anders ook had meegenomen. Dat vond ik wel grappig.'

Rik kan zich niet goed herinneren dat hun vader wegging. 'Ik denk dat hij op een avond zijn koffers heeft gepakt. Je zegt natuurlijk niet tegen je kinderen dat je niet meer terugkomt. Wij dachten dat hij gewoon naar zijn werk was.'

Jenny weet nog dat haar vader bij een vriend logeerde. 'Ik dacht dat papa bij die vriend ging wonen. Dat vond ik niet leuk. We zijn maar één keer bij hem op bezoek geweest toen hij bij die vriend was. Daarom dacht ik dat we hem niet vaak meer zouden zien. Maar mama zei dat we om het weekend naar hem toe zouden gaan.'

Rik: 'Pap en mam gingen met de kalender bij elkaar zitten om datums te prikken; wanneer we bij hem zouden zijn en wanneer hier. Wij waren buiten aan het spelen. Ik hoorde dat ze weer ruzie kregen.' Hij vindt de afspraak dat ze om de week een weekend naar hun vader gaan wel prima. 'Nu ben ik eraan gewend. Daarom mis ik hem niet echt. Mama vroeg een keer waar we liever wilden wonen; bij papa of hier. Als ik bij papa had gezegd, was ze erg teleurgesteld, denk ik.'

Niet dat Rik liever bij zijn vader wil wonen. 'De meeste

kinderen blijven, denk ik, bij hun moeder. Daar zijn ze meer aan gehecht, omdat ze die nu eenmaal meer zien. Als ik er helemaal geen rekening mee hield of mijn moeder verdrietig zou worden, had ik er misschien beter over nagedacht.'

Jenny mist haar vader wel eens, vertelt ze. 'Hij komt ons op vrijdag voor het avondeten halen. Maar soms wil ik op donderdag al iets tegen hem zeggen. Bijvoorbeeld dat mijn tennisles is afgelast. Vertel dat morgen maar, zegt mama dan. Toch bel ik papa meestal even, omdat ik bang ben dat ik het de volgende dag vergeet te vertellen.'

Ze zou haar vader graag vaker zien. 'Ik heb voorgesteld dat we telkens twee weekenden bij papa konden zijn en dan een weekend bij mama. Mama zei dat papa dat niet goed zou vinden. Ik weet niet waarom. En papa zei dat het niet mocht van de wet of zo. Dat mag je toch zelf weten, dacht ik. Toen zei hij dat mama het niet goed zou vinden.'

Jenny snapte er niks meer van. Ze vindt het jammer dat haar ouders niet op haar voorstel zijn ingegaan. 'Ik hoopte het heel erg,' zucht ze. 'Toch bof ik wel dat ik papa nog zie. Een klasgenootje van mij woont in een pleeggezin. Hij ziet zijn vader en moeder maar één keer in de zes weken.'

Rik bekent dat hij niet altijd zin heeft om bij zijn vader op bezoek te gaan. 'Soms denk ik: "Shit, ik moet weer naar papa." Daar kan ik niet met mijn vrienden afspreken.' Bij zijn vader in de buurt heeft hij geen vrienden. 'Als ik daar vrienden maak, zie ik ze toch bijna nooit. Meestal blijf ik binnen. Televisie kijken en met mijn broertje spelen.'

Bij zijn moeder thuis zit hij vaak op zijn eigen kamer. 'Hier heb ik meer spullen van mezelf; mijn playstation, televisie en radio. Bij papa heb ik alleen een pyjama en een tandenborstel. Daar slaap ik met Jenny in een stapelbed. Het is best lastig dat we op één kamer liggen. Soms kan ik niet slapen, omdat Jenny ligt te zuchten of te knarsetanden.'

Als Rik geen zin heeft, gaat hij toch. 'Anders vind ik het een beetje triest voor papa. Hij ziet ons zo weinig. Mama zegt vaak dat ik het in elk geval moet proberen. Als ik me een hele dag bij papa heb verveeld, ga ik de volgende dag naar huis.'

Soms heeft hij een fuif in het weekend dat hij bij zijn vader is. 'Dan brengt papa me er bijna altijd naartoe. Dat moet, vind ik. Had hij maar niet zo ver weg moeten gaan wonen.' Zijn vader brengt hem ook naar de voetbalclub in het weekend.

Rik: 'Af en toe kan dat niet, omdat hij moet werken. Dat vind ik niet erg. Dan kan ik tenminste lekker uitslapen. Ik wil toch stoppen met voetbal.'

Als Jenny zelf een fuif geeft, houdt ze rekening met haar vader. 'Ik zorg altijd dat ik het niet doe in het weekend dat we naar hem gaan,' vertelt ze. Als vriendinnen vragen of ze in dat weekend komt logeren, zegt Jenny dat ze niet kan. 'Ik ga liever naar papa.'

Ze had in het begin geen vriendinnen in het dorp waar haar vader woont. Nu wel. 'Toen ik een keer langs een plein kwam, zag ik een paar meisjes knikkeren. Ik vroeg of ik mee mocht doen en of ik een paar knikkers mocht lenen. Omdat ik in het begin alleen speelde tegen meisjes die niet zo goed waren, had ik al snel knikkers voor mezelf.'

Een van die meisjes is nu haar beste vriendin. Met haar en haar broertje en zusje gaan Jenny en Rik vaak zwemmen als ze bij hun vader zijn. 'Hun ouders zijn ook gescheiden,' vertelt Rik. Dat maakt voor hem geen verschil, zegt hij. 'Met vrienden praat ik eigenlijk nooit over de scheiding. Zeker niet toen het net gebeurd was. Misschien omdat ik dacht dat het nog erger zou worden als ik erover praatte. Niet dat ik me ervoor schaamde of zo. Toen snapte ik gewoon nog niet goed waarom ze uit elkaar waren gegaan. Ik ben wel blij dat ik dat nu beter weet.'

Ook Jenny praat niet veel over de scheiding. 'Alleen tegen mijn beste vriendin zei ik wel eens dat ik het niet leuk vond als papa en mama ruzie maakten. Nu hebben we het er eigenlijk nooit meer over. De juf vroeg een keer in de klas hoe het is als je ouders gescheiden zijn. 'Gewoon,' zei ik, 'want ik ben het gewend.' Van twee klasgenoten weet Jenny dat hun ouders ook gescheiden zijn.

De vriend van hun moeder kregen Rik en Jenny niet meteen te zien. 'Logisch dat ze daar even mee heeft gewacht,' vindt Rik. 'Want je weet natuurlijk niet hoe het loopt. Misschien gaat het weer uit. Voor Marc was het spannend, omdat hij nog geen kinderen in zijn leven had. En voor ons was het ook best spannend.'

Jenny vond het leuk dat Marc bij hen kwam wonen. 'In het begin zijn mama, Rik en ik een tijdje met zijn drietjes geweest,' vertelt ze. 'Dat was een beetje eenzaam.' Bovendien vond ze het makkelijker dat Marc bij hen introk. 'Ervoor aten we in zijn flat vaak pizza. Dat is mijn lievelingseten. Hij had een oven en

Rik en Jenny met hun vader, zijn vrouw Jacqueline en hun kinderen Menno en Femke.

wij niet. Zijn flat was niet ver, maar het was wel lastig als ik iets vergat. Als ik wilde lezen omdat ik me verveelde, moest ik weer naar huis lopen om mijn boek te halen.'

'Iemand nieuw in huis die ook de baas over mij mag spelen, was wel even wennen,' bekent Jenny. 'Toch heb ik bijna nooit ruzie met Marc. Soms doe ik een beetje boos als ik niet achter de computer mag, maar dat is eigenlijk nep-boos,' grijnst ze.

Rik moest ook wennen toen Marc bij hen kwam wonen. '"Jij hebt niks over mij te zeggen," dacht ik. Maar ik was verlegen en durfde niet veel te zeggen.' Dat is wel veranderd. 'Hoe langer je elkaar kent, hoe meer je durft te zeggen. Dan durf je ook boos op elkaar te worden. Nu hebben we wel eens ruzie als ik mijn zin niet krijg. Of als ik dingen niet mag die anderen wel mogen.'

Soms roept Rik dat hij bij zijn vader gaat wonen. 'Om Marc en mama een beetje te laten schrikken,' bekent hij. 'Natuurlijk bedoel ik dat niet zo. Met papa heb ik vaker ruzie dan met Marc. Tegen hem durf ik meer te zeggen, omdat ik hem al langer ken.'

Af en toe zegt Rik papa tegen Marc. 'Meestal uit vergissing. En soms omdat Marc dat leuk vindt. Dat merk ik aan hem, en ik weet dat van mama.' Toch is Rik niet van plan om Marc altijd zo te noemen. 'Dan zou ik tegen twee mensen papa zeggen. Dat is een beetje raar.'

'Soms ben ik helemaal in de war,' vertelt Jenny. 'Dan zeg ik Jacqueline tegen mama. Daarna zeg ik bijvoorbeeld juffrouw of papa en dan pas mama.' Ze lacht: '"Ben je er eindelijk uit?" vraagt mama dan.'

Ook bij opa's en oma's kan het lastig zijn, vindt ze. 'Tegen de vader en moeder van Jacqueline zeg ik geen opa en oma, want die zien we niet zo vaak. De moeder van Marc zien we vaker. We gaan naar oma, zeg ik dan tegen mijn vriendinnen. Tegen mama zeg ik dat niet. Die zou dat misschien een beetje raar vinden, want bij mama heb ik nog een oma.'

Vier jaar geleden is hun vader met Jacqueline getrouwd.

Rik: 'Het feest was heel leuk. Mama was volgens mij niet uitgenodigd. Van de ene kant snapte ik dat wel. Aan de andere kant vond ik het raar. Als wij een feest hadden, ging ze eigenlijk altijd mee.'

Hun moeder is niet met Marc getrouwd. 'Mama wil dat wel, maar Marc niet,' denkt Jenny. Ze weet niet waarom. 'Ik zou het leuk vinden als ze gaan trouwen, omdat ik dan familie word van Lotte en Bart. Zij hebben bij mij in de klas gezeten en Marc is hun oom. Maar ach, eigenlijk maakt het niet veel uit. Als Marc niet wil trouwen, wil hij het niet. Lotte en Bart zijn nu toch al een beetje mijn neefje en nichtje.'

Jenny zou ook graag willen dat haar moeder zwanger werd. 'Ik vind baby'tjes heel leuk. Toen Jacqueline Femke en Menno kreeg, wilde ik graag zien hoe ze luiers omdeed. Dan weet ik later ook hoe dat moet. Nu lees ik Femke soms voor als ze naar bed moet. Jammer dat Marc geen baby wil. Ik denk omdat hij geen poepluiers wil verschonen. Ik heb beloofd dat ík dat zal doen, en dat de baby bij mij op de kamer mag slapen. Maar hij wil het nog steeds niet.'

Van Rik hoeven zijn moeder en Marc niet te trouwen.

'Voor mij maakt dat geen verschil. Voor hen wel, denk ik, omdat ze dan geen vriend en vriendin meer zijn, maar man en vrouw. Ik weet het nog niet zeker, maar ik denk dat ik later wel ga trouwen. Gewoon, omdat het leuk is.' Hij heeft een paar jaar verkering gehad met een meisje uit zijn klas. Kort geleden heeft zij het uitgemaakt. Rik weet niet waarom. 'Dat interesseert me ook niet. Ik heb er niet echt liefdesverdriet van gehad. Bij grote mensen is dat anders.'

Van de scheiding van zijn ouders heeft hij inmiddels geen verdriet meer. 'Eigenlijk zou ik niet willen dat ze weer bij elkaar komen. Want ik kan Marc niet meer missen en Jacqueline en mijn nieuwe broertje en zusje ook niet.'

Ook Jenny heeft geen verdriet meer, zegt ze. 'Maar het fijnst zou zijn als er nooit ruzie was geweest en ze nooit waren gescheiden. Mijn grootste wens is toch dat papa en mama weer bij elkaar komen. Omdat ik ook een beetje normaal wil leven. Zoals andere kinderen.'

Ze heeft weinig hoop. 'Gelukkig hebben ze niet vaak meer ruzie, maar het gebeurt nog wel eens.' Rik: 'Eén keer zei mama door de telefoon tegen papa "als je niet betaalt, ga ik een rechtszaak aanspannen." Daar schrok ik van. "Dat moet je niet doen," zei ik. "Dat lost niks op. Daardoor krijg je alleen maar meer ruzie." Mama zei dat ze anders niet voor ons kan zorgen. Nou ja, ze moet het zelf weten. Ik heb er niks over te zeggen. Ik weet niet eens of die rechtszaak nog doorgaat, of dat hij misschien al is geweest.' Jenny hoopt van niet. 'Ik wil niet dat er nog grotere ruzie komt en dat ze elkaar niet meer willen zien.'

ZE ZIJN TOCH VOLWASSEN!

Een rijtjeswoning in een klein dorp. Een jongen met stekelig donker haar en grote donkere ogen doet de voordeur open. 'Goeiemiddag, ik ben Boengkie,' zegt hij als hij zijn hand toesteekt. Hij is dertien jaar, maar lijkt kleiner. 'Zal ik je jas even aannemen?' vraagt hij. Daarna loopt hij de trap op en houdt de deur op de eerste verdieping open. Vlak daarachter staat een donkerbruine tafel die bedekt is met paperassen. De muur is behangen met rieten matten. Links is een open keukentje. Rechts in de woonkamer staan een houten bankje, twee zachte bankjes met blauwe doeken erover, twee vierkantje tafeltjes en een televisie. Hier wonen Boengkie en zijn vader.

Boengkie maakt koffie en zet een trommel koekjes op tafel. Zijn vader laat weten dat hij boven op zijn laptop aan het werk is en trekt de deur achter zich dicht. 'Toen ik drie jaar was, is mama vertrokken,' vertelt Boengkie. 'Pap zei dat ik de hele dag voor het raam stond te kijken of ze terugkwam.'
Hij kan zich niet herinneren dat zijn ouders bij elkaar waren. En weet niet precies waarom ze uit elkaar zijn gegaan, zegt hij. 'Volgens mij had mama's nieuwe vriend een grotere dinges. Dat zei pap tenminste.' Hij aarzelt. 'Ik weet niet of dat waar is. Soms verzin je wel eens iets als je boos bent. Toch heeft pap het al vaak gezegd. Ik hoor het elke keer als hij erop terugkomt.'
Boengkie neemt nog een koekje uit de trommel. Hij wil

even aan iets anders denken, lijkt het. Hij vertelt over een wis-kundeproefwerk. Even later pakt hij de draad van zijn verhaal weer op. 'Pap was er helemaal kapot van dat mama wegging. Hij heeft er minstens vijf jaar last van gehad. In die tijd gaf hij mij wel eens billenkoek. Later zei pap dat hij zich daarna altijd lullig voelde.'

Boengkie haalt zijn schouders op. 'Op dat moment schrik je wel even, maar billenkoek doet niet echt pijn. Het is mis-schien lullig voor pap om dit te vertellen. Maar het is wel be-langrijk voor het verhaal, denk ik.'

Een paar jaar lang wilde zijn vader geen nieuwe relatie, vertelt Boengkie. 'Toen ik een jaar of zeven was, kwam hij Moppie tegen. Zo heet ze niet echt, maar zo noemden wij haar. In het begin kende ik haar nog niet. Pap heeft me later over haar verteld. Ik vind het logisch dat je niet meteen aan je kind vertelt dat je een nieuwe vriendin hebt. Als je dan vette ruzie krijgt, is niet alleen de relatie kapot, maar het kind ook.'

'Moppie was heel lief. Ze kwam op mijn verjaardag en soms gingen we samen ergens eten. Zij en pap hielden veel van elkaar. Dat kon je zien. Als we in een restaurant zaten, hielden ze handen vast. Zij was getrouwd. Dat is ze nu nog, voor zover ik weet. Ze kon niet met pap verdergaan, zei ze. Want ze had een gezin waar ze voor moest zorgen. Ze had twee kinderen en een man.'

Hoe Boengkie daar zelf over denkt? 'Ik heb er nog geen ervaring mee, maar ik denk dat je liefde niet kunt tegenhouden.' Hij aarzelt weer. 'Ik weet niet of ik dit wel allemaal moet vertellen. Misschien is het beter als ik vraag of pap naar beneden komt. Dan kan hij alvast koken of zo en kan hij waarschuwen als ik te veel vertel ...'

Na even nadenken, praat hij toch weer verder. 'Het ging een paar keer uit met Moppie. De ene keer was ik acht. De andere keer negen of tien. Ik vond het telkens heel jammer als het uitging. Pap lag bijna elke avond te huilen op bed. Dan kwam hij tegen mij aan liggen en troostte ik hem. Ik vond het ook erg dat ik Moppie waarschijnlijk niet meer zou zien. Ik hield meer van haar dan van mijn moeder.'

Boengkie stopt met zijn verhaal. 'Ik vraag toch even of pap komt. Dan voel ik me meer op mijn gemak.' Hij pakt de telefoon en belt naar boven. 'Pap, wil je alsjeblieft naar beneden komen. Dan kun je horen wat ik allemaal vertel. Ik weet niet of ik soms te ver ga.'

Even later zit zijn vader ook aan de eettafel. Een kleine man met donkere ogen en een donker baardje. Hij schudt zijn hoofd. 'Boengkie toch. Je verbaast me. Je durft toch zeker wel alleen te praten? Er is niks dat je niet mag vertellen, hoor. Je hoeft niet bang te zijn dat je te ver gaat, of dat ik boos word. Ik heb ook fouten gemaakt. Dat mogen anderen best weten. Het is juist beter dat ik er niet bij ben als jij je verhaal vertelt. Anders ben je misschien extra negatief over je moeder, omdat je denkt dat ik dat leuk vind. En sommige dingen durf je misschien niet te vertellen, omdat je bang bent om mij te kwetsen.'

Boengkie laat zijn hoofd hangen. De tranen rollen over zijn wangen. Zijn vader slaat een arm om hem heen. 'Maak je geen zorgen,' zegt hij. 'Ik hou van jou, en dat blijft zo.'

Een paar weken later doet Boengkie weer zelf de voordeur open. Hij is vrolijk. In de kerstvakantie heeft hij samen met zijn vader in een restaurant gegeten en vuurwerk afgestoken, vertelt hij, terwijl hij koffie maakt. Vader werkt aan tafel op zijn laptop. Boengkie gaat naast hem zitten.

'Zal ik eens iets geks vertellen? Afgelopen dinsdag was mama jarig en toen ben ik vergeten haar een kaart te sturen. De avond ervoor vroeg pap nog of ik niks moest sturen. Toch vergat ik het. Het interesseerde me gewoon niet, denk ik. Kun je zien wat ze voor me betekent.' Hij heeft zijn moeder nu ruim vier maanden niet gezien, omdat hij dat zelf niet wil. 'Als we met Engelse les op school moeten schrijven "mom is crossing the road" schrijf ik "dad is crossing the road." Omdat ik niet aan haar wil denken.'

Hij herinnert zich maar al te goed de laatste keer dat ze contact zouden hebben. 'Het was een vrijdag. We hadden een bemiddelaar. Hij had mama gevraagd om vóór vijf uur te reageren. Anders zou het contact worden verbroken. Ik checkte elke tien minuten mijn mail, maar er kwam niks. Het ergste was dat ik er heel nuchter onder was. Eigenlijk had ik het wel verwacht.'

Aan dat moeilijke moment denkt Boengkie niet graag terug. Hij wil liever vertellen over de jaren dat hij nog in de weekends naar zijn moeder ging. 'De eerste keer was ik, geloof ik, vier jaar. Het was in de zomer en het was heel leuk. Net alsof je voor het eerst op bezoek gaat bij familie die verhuisd is. Er stond een grote dennenboom in de achtertuin. Ik weet nog dat we die omzaagden. We stonden met zijn vieren aan die zaag te trekken: mama, haar vriend, zijn zoon Stijn en ik.'

Boengkie lacht. 'Daarna was er een kuil waar de boomstronk had gezeten. Daarnaast lag een berg zand waar ik in speelde met mijn autootjes. Ik mocht water in de kuil doen. Toen viel ik er in en zat ik helemaal onder de modder. Mama droeg mij in een vuilniszak naar boven om me onder de douche te zetten. Ze was een beetje boos, maar ze moest vooral lachen.'

Met Stijn kon Boenkgie goed opschieten. 'Hij was achttien of negentien jaar. Ik ging vaak met hem en zijn vrienden naar het park. Soms keken we samen naar films van Star Wars. En ik keek bijna elk weekend naar Jungle Book. Dan keek de vriend van mama ook vaak mee. Eigenlijk was het een rare man. Hij was al eind dertig of begin veertig, maar hij keek ook mee naar de smurfen. En als Stijn en ik aan het voetballen waren, wilde hij altijd meedoen.'

'Toen had ik nog niet in de gaten dat hij jaloers was en dat Stijn zijn lievelingetje was. Dat heeft mama later verteld, toen ik al wat ouder was. Op een keer zei ze: "Je moet niet schrikken, maar ik denk dat ik bij hem wegga." Ze stonden vaak tegen elkaar te schreeuwen en altijd ging het over Stijn.' Zijn moeder verhuisde naar een flat. Boengkie: 'Stijn zag ik toen nog maar een keer in de maand of zo. Dat vond ik wel jammer.'

Boengkie zegt dat hij niet meer weet of hij het erg vond dat zijn moeder het uitmaakte met haar vriend. 'Op een gegeven moment werd hij irritant. Aan tafel was hij heel onbeschoft. Hij liet scheten en boeren en at met zijn handen. Vooral het laatste jaar dat mama bij hem was, was hij heel vervelend. Toen gingen we met hem op vakantie naar Amerika, op bezoek bij mijn tante. Hij vond de schildpad van mijn neefje stinken. Omdat hij die uit de slaapkamer weg wilde, trok hij de stekker uit het aquarium. Dat vond ik asociaal. Toen wilde ik niet meer bij hem en mijn moeder op de kamer slapen.'

De vriend van Boengkies moeder kreeg ruzie met zijn tante en neefjes. 'Ik koos partij voor hen, omdat ik het onterecht

Boengkie en zijn vader.

vond dat mama's vriend die stekker eruit had getrokken. Mijn moeder nam het mij niet kwalijk, maar zij moest natuurlijk partij kiezen voor hem. Anders was het meteen uitgeweest. En we waren met hem op vakantie.'

De vakantiefoto's liggen bij zijn moeder, vertelt hij. 'Ze heeft nog veel spullen van mij. De pet die ik van mijn oom in Amerika kreeg bijvoorbeeld. En computerspelletjes, maar die vind ik niet zo belangrijk. De foto's van mijn zusje zijn wel belangrijk. Ze is nu negen maanden.'

Zijn zusje is het kind van zijn moeder en de vriend die zijn moeder sinds een paar jaar heeft. Ook zijn zusje heeft Boengkie de afgelopen maanden niet gezien. 'Ik mis haar heel erg,' zucht hij. 'Ik zou graag willen dat iemand mama mailt om te vragen of ze mijn foto's en andere spullen wil opsturen.' Zelf wil hij niet mailen. 'Dat kan niet meer,' vindt hij. 'Want ik heb haar geen kaart gestuurd met haar verjaardag.'

Bij het volgende gesprek zit vader op de bank met zijn laptop. Boengkie blijft aan de tafel zitten. Hij vertelt hoe het contact tussen hem en zijn moeder verslechterde. 'Ik begon pas te merken hoe ze is toen ik ongeveer tien was.' Hij draait zich om naar zijn vader. 'Had ik al ruzies met haar toen ze nog in het appartement woonde?' Vader kijkt op van zijn laptop. 'Eerst vertelde ik Boengkie niet hoe zijn moeder kan reageren,' zegt hij. 'Maar op een gegeven moment vond ik dat zij rechtstreeks met hem zelf moest communiceren.'

Boengkie: 'Mama wilde dat ik een sport ging doen. Daarom ging ik bij haar in de stad en hier in het dorp bij judo kijken.

Ik besloot om hier bij de club te gaan. Hier heb ik meer vrienden, en daar was het niet leuk. Als je iets fout deed, moest je vijftig keer opdrukken. Mama werd kwaad omdat ze wilde dat ik in de stad ging judoën. Een hele tijd later vertelde ik een keer dat het leuk was bij de judoles. "Toch vind ik nog steeds dat je het in de stad had moeten doen," mopperde ze. Ik zei dat ik dan maar een half jaar bij de club had kunnen blijven, omdat ze toen weer verhuisde. "Ach, wat een onzin," zei ze.'

Zijn moeder ging bij haar nieuwe vriend wonen. 'Ze hadden al een tijd iets. Hij kwam vaak naar het appartement in de stad. Daarna trok ze bij hem in. Ik vond het leuk om weer naar een nieuw huis in een nieuwe plaats te gaan waar ik nog nooit was geweest. Kon ik daar de omgeving verkennen en nieuwe vrienden maken. Maar toen begon het gedonder. Mama had pap niks laten weten. Hij dacht dat we in het appartement waren en kon ons niet bereiken.'

Later hoorde hij hoe zijn vader met zijn moeder belde. '"Weet je nog dat jij zo boos was?" vroeg pap. Mama was kwaad omdat hij mij bij kennissen had gebracht toen ze net gescheiden waren. "Dit is precies hetzelfde," zei pap nu door de telefoon. Mama gooide de hoorn er op. Ik besefte dat ze niet zo lief was als ik altijd had gedacht.'

Toch vond hij het toen nog leuk om bij zijn moeder en haar vriend op bezoek te gaan. 'We gingen een keer op een korte vakantie naar de kust. Daar kochten mama en ik skates voor zijn verjaardag. Wij leerden hem hoe het moest. Ik ging expres heel moeilijke dingen doen, want hij wilde alleen skaten als er geen mensen in de buurt waren. Anders schaamde hij zich.'

Boengkie mocht mee op vakantie naar Mallorca. Zijn moeder en haar vriend zouden al eerder gaan vanaf een zakenreis. 'Mama wilde dat ik zelf met het vliegtuig zou komen. Dan zou ik worden begeleid door een stewardess. Dat leek mij wel leuk, maar ik zei: "Dan komt pap vast in opstand en we kunnen maar beter een ruzie voorkomen."'

Vader kijkt op van zijn laptop. 'Wat?' roept hij. 'Dat heb ik nooit gehoord!' 'Nee,' antwoordt Boengkie, 'maar ik wist zeker dat jij dat niet goed zou vinden. Of wel?' 'Nee, tuurlijk niet!' verzekert zijn vader.

Achteraf is Boengkie blij dat hij niet alleen met het vliegtuig is gegaan. 'Anders was ik weer in een van hun trucjes getrapt. Het klonk als een leuk aanbod, maar eigenlijk zou het alleen makkelijk voor hen zijn geweest. Zij zouden dan met een luxe vliegtuig vanaf hun zakenreis zijn gekomen, en ik zou in mijn eentje met de tweede klasse moeten.' Uiteindelijk vloog hij samen met zijn moeder naar Mallorca. Haar vriend kwam vanaf zijn zakenreis. 'Het was heel gezellig,' vertelt Boengkie. 'Het was een gewone vakantie. Er was geen ruzie.'

Bij een volgende afspraak vindt hij het niet erg meer als zijn vader de kamer verlaat. Hij let er niet op en praat gewoon door. Terwijl hij koffie zet, vertelt hij over proefwerken en een basketbaltoernooi op school. Als hij eenmaal aan tafel zit, zegt hij: 'Kijk, ik heb deze week een brief van mijn moeder gekregen.'

Hij laat de brief lezen. Zijn moeder schrijft dat het nu vijf maanden geleden is dat ze elkaar zagen. Ze wil graag weten hoe het met hem gaat. En ze is benieuwd hoe het op zijn nieuwe school is. Ze vraagt Boengkie om weer contact op te nemen. Hoe langer hij daarmee wacht, hoe moeilijker het wordt, waarschuwt ze.

Boengkie is boos. 'Ik vind het een lullig, pietepeuterig klein briefje. Als ze vijf pagina's of zo had geschreven, kon ik het misschien nog waarderen. Maar hier spuug ik op. Ik ga een vervelende brief terugsturen. Als ik tenminste reageer, want dat weet ik nog niet. Ik zal vragen of ze me voortaan met rust wil laten. Elke keer als ik iets van haar hoor, krijg ik vreselijke koppijn. Toen ik deze brief kreeg, moest ik weer huilen.'

Hij heeft een paar keer met een maatschappelijk werker gepraat, vertelt hij. 'Ik wilde mijn verhaal kwijt aan iemand anders dan pap. Bij mijn vrienden kan dat niet, want die hebben nooit met dit soort situaties te maken gehad. Af en toe praat ik er met hen over, maar dan zeggen ze: "We snappen dat je ermee zit, maar we kunnen je niet helpen en de sfeer wordt er ook niet beter op als je het erover hebt." Het klinkt een beetje lullig, maar ik kan het wel begrijpen.'

'Een vriend van mij heeft ook gescheiden ouders. Met hem kan ik er wel over praten, maar dat doe ik bijna nooit. Zijn situatie is toch anders. Zijn ouders wonen allebei nog in dit dorp. Ze hebben veel ruzie, maar mijn vriend komt wel bij allebei. En meestal, als ik hem zie, zijn er anderen bij. Dan is het een beetje lullig om het erover te hebben.'

Vader maakte een lijstje van mensen met wie Boengkie zou kunnen praten. 'Ik koos voor een maatschappelijk werker. Ik weet niet waarom, maar ik voelde me toen heel raar. Misschien schaamde ik me ervoor dat ik zo'n vreemde moeder heb.'

Hij vond het fijn om naar de maatschappelijk werker te gaan. 'Ik zat daar wel anderhalf uur te praten. Als hij niet had gezegd dat hij ook nog andere afspraken had, zou ik gewoon door hebben gepraat.' De eerste keren ging hij samen met zijn vader. 'We vertelden hoe het zo gekomen was en hoe we dachten dat het verder moest. Ik wil dat mama mij redelijk behandelt. Dat ze me niet uitkaffert en ook naar mijn mening luistert. En dat halen en brengen redelijk gaat. Desnoods fifty-fifty. Volgens mij vindt zij het normaal als ik naar haar toe kom.

Ik denk juist dat ze blij moet zijn dat ze haar zoon weerziet. Daarom vind ik dat zij mij eigenlijk hoort te halen en te brengen. Volgens mij had de rechter dat ook zo bepaald.'

'Dat is niet waar,' vertelt zijn vader later. De rechter zei dat hij en zijn ex-vrouw zelf een regeling moesten treffen. 'Maar ik vond dat zij haar zoon moest halen en brengen. Het is tenslotte haar keuze geweest om weg te gaan en meer dan een uur rijden bij ons vandaan te gaan wonen.' Boengkie neemt het voor zijn vader op. 'Het kost pap telkens een hele tank benzine. Terwijl mama en haar vriend twee auto's hebben en het makkelijk kunnen betalen.'

Vaak bracht zijn vader hem naar de stad waar zijn moeder nu woont. Boengkie: 'Eén keer belde pap om te vragen of ze met mij naar het plein wilde lopen. Hij raakte in die stad vaak de weg kwijt. "Nee dat kan niet, want ik ben zwanger en het is te koud," zei mama. "Dan doe je toch een jas aan," zei pap. Toen schreeuwde mama door de telefoon: "Je kunt hem komen halen met een politiewagen!" Ik stond naast haar te huilen. Later zei ze dat ik pap zelf maar moest bellen om te vragen of hij mij kwam halen.'

Boengkie ging steeds minder vaak naar zijn moeder. 'Op het eind nog maar eens in de twee maanden of zo. Toen ik een keer belde om af te spreken, moest zij een maand voor haar werk naar Duitsland. Ik zei dat ik het weekend daarna niet kon, omdat ik judokamp had. En de week daarna had ik een belangrijk feest van een vriend. Mama vond het niet eerlijk. "Jij wilt toch een grote broer zijn voor je zusje. Dan moet je gewoon komen," zei ze. "Jij gaat toch ook een maand naar Duitsland," zei ik. "Wie is dat?" hoorde ik haar vriend op de achtergrond vragen. "Boengkie kan niet komen," zei mama. "O, hij weer," hoorde ik hem vloeken.'

Na een paar gesprekken vroeg de maatschappelijk werker of Boengkie en zijn vader ieder apart met hem wilden komen praten. Toen zijn vader er niet bij was, vertelde Boengkie over het contract dat hij had ondertekend. 'De vriend van mama had het opgesteld op de computer. Wat er precies in stond, weet ik niet meer. In elk geval dat ik judo op vrijdagavond moest afzeggen. Het leek wel een wet of een bevel. Ik moest mijn handtekening eronder zetten. Het was niet zo dat mama en haar vriend me dwongen. Maar ja, wat kon ik doen? Daarna hebben we het contract zogenaamd gevierd met een glaasje wijn.' Boengkie trekt een pijnlijk gezicht als hij erover vertelt.

Hij liet het contract een paar weken in zijn schooltas zitten en vertelde er niemand over. Ook zijn vader niet. 'Vooral omdat ik me schaamde. Ik laat me door mama namelijk makkelijk beïnvloeden. Dat heeft ook voor ruzies tussen pap en mij gezorgd. Ze heeft me bijvoorbeeld een paar keer gevraagd of ik bij haar en haar vriend kwam wonen. Ik zei dat ik erover na zou denken. "Hoe kun je nou zo stom zijn!" riep pap. Terwijl ik dat juist had gezegd om er vanaf te zijn. Want ik wilde helemaal niet bij mama gaan wonen.'

Uiteindelijk vertelde Boengkie een leerkracht van school over het contract. 'Hij wist van de problemen met mijn moeder. En hij had gezegd dat ik naar hem kon komen als er iets was. Hij vond dat ik mijn vader wel moest vertellen over het contract, maar hij zei dat ik het kon verscheuren. Zodat ik er niet meer aan hoefde te denken.' Boengkie grijnst boosaardig: 'Een aantal stukjes heb ik op school door de plee gespoeld, en een paar heb ik met een vriend aan een rotje geplakt en aangestoken.'

Op de basisschool wist de directrice van de problemen met zijn moeder. 'Toen we de lijst opstelden van mensen met wie ik zou kunnen praten, zei pap dat we ook de schooldirectrice moesten bellen. Als er dan iets gebeurde, wist zij wat er aan de hand was.'

Boengkie kreeg namelijk vaker ruzie. 'Mama was niet de directe oorzaak, maar wel indirect. Zij zorgde ervoor dat ik lichtgeraakt werd. Zelfs met goede vrienden kreeg ik ineens ruzie. Eén keer zat ik de hele dag over mama te denken, omdat de avond daarvoor iets vervelends was gebeurd. Een meisje uit mijn klas deed die dag heel hatelijk. "Jij geeft er niks om dat je ouders zijn gescheiden," zei ze. Nou, toen sloeg ik erop los. Ik weet niet wat me bezielde. Het komt geloof ik wel vaker voor dat iemand die heel kwaad of verdrietig is dingen doet die hij normaal niet doet.'

De man van de schooldirectrice maakte een regeling waarin stond wie Boengkie moest halen en brengen, als hij bij zijn moeder op bezoek ging. Hij zou de bemiddelaar zijn. Maar dat wilde de moeder van Boengkie niet. Zij dacht dat de man van de directrice partij zou kiezen voor Boengkie en zijn vader. Daarom reageerde ze niet op het voorstel. Zo mislukte de bemiddelingspoging.

Half februari. Boengkie is vrolijk. 'Ik heb een Valentijnskaart van mama gekregen,' vertelt hij. 'Liefs van mama,' staat er op. Hij is er blij mee. Terwijl hij eerder teleurgesteld was over haar brief. Hij haalt zijn schouders op. 'Meestal als ik iets van mama krijg, ben ik meteen chagrijnig. Nu ik er langer over nadenk, vind ik het toch wel leuk. Ik zit er zelfs over te denken om haar een keer te bellen. Maar ik weet het niet, hoor …'

Hij hoeft zelf de telefoon niet te pakken, want zijn moeder belt hem onverwachts. 'Heel leuk,' vertelt hij later. 'We hebben wel drie kwartier gekletst. Ze vertelde hoe het met mijn zusje is en vroeg hoe het met judo gaat. En ze vroeg of ik het volgende weekend naar haar wil komen. Dan zal zij me komen halen. Ik zei dat ik dat even moest overleggen met pap, omdat ik niet wist of dat mocht of kon. Als jij het wilt, moet je gaan, zei pap.'

Boengkie wil het graag. 'Als ik had geweten dat pap het goed zou vinden, had ik mama misschien zelf gebeld.' Hij denkt te weten waarom zijn moeder niet eerder belde. 'Ze dacht misschien dat de oude afspraak nog gold. Als ze dan vroeg of ik wilde komen, moest zij halen en brengen. En als ik belde dat ik zou komen, moesten wij halen en brengen.'

Die afspraak geldt niet meer, vertelt Boengkie. 'We hebben nu gezegd dat we nog niks precies afspreken. Zodat er ook geen ruzie over kan komen.'

Na het weekend is hij enthousiast. 'Mama heeft me meegenomen en pap heeft me weer opgehaald. Het was heel leuk.' Hij lacht: 'Mijn zusje kan al een beetje lopen en mama en ik hebben haar leren headbangen. We zaten met ons hoofd te schudden en toen deed mijn zusje dat na.'

Natuurlijk was niet alles meteen weer goed. 'We hadden een moeilijk gesprek. Mama en ik moesten huilen. Haar vriend zat ook met tranen in zijn ogen. Hij zei dat ik mijn zusje en moeder heb verraden door zo lang niet te komen. Maar zij hebben ook fouten gemaakt, vind ik.'

'Ik begrijp mama nu wel beter. Ik denk dat het fout is gegaan, omdat mama de bemiddelaar niet goed begreep.' Zijn vader is juist de kamer binnengekomen. 'Ze had de bemiddelaar wel degelijk goed begrepen,' bromt hij. 'Dat blijkt uit alle mailtjes die er over en weer zijn gestuurd. Boengkie is nu heel enthousiast, maar ik houd mijn hart vast. Voor als het straks weer misgaat.'

Boengkie vertelt dat hij over twee weken naar de verjaardag van zijn zusje gaat. 'Mama zei dat ze me weer zou komen halen, dan kan pap mij weer naar huis brengen.' 'Nou, dat heb ik alleen van jou gehoord. Mij heeft ze niks gevraagd. Dus ik weet officieel nog van niks,' bromt vader.

Als hij de kamer weer uit is, zegt Boengkie dat hij het niet leuk vindt dat zijn vader zo reageert. 'Hij zou blij voor me moeten zijn en me stimuleren, maar hij zegt juist dat hij zijn hart vasthoudt. Nou, hij heeft zelf ook slechte kanten, hoor. Net als iedereen.'

'Mama is bij ons weggegaan, maar pap zal ook wel iets hebben gedaan. Als ik bij hem ben, hoor ik alleen zijn mening en dan neem ik die over. Als ik bij mijn vader ben, denk ik slecht over mijn moeder en als ik bij mijn moeder ben, denk ik slechte dingen over mijn vader. Erg verwarrend. Ik heb veel nachten gehad waarin ik huilend en badend in het zweet wakker werd.'

Op dit moment is Boengkie in elk geval blij dat het contact is hersteld. 'Ze blijft mijn moeder. Ik hou toch van haar,' zucht hij. Hij hoopt dat het vanaf nu goed zal gaan. 'Als pap en mama weer ruzie krijgen over het halen en brengen, stuur ik ze allebei een mailtje om te zeggen dat ze zich niet moeten gedragen als kleuters en dat ze het samen op moeten lossen. Ze zijn toch volwassen!'

Boengkie heeft er lang over nagedacht of hij zijn moeder zou laten weten dat hij aan dit boek heeft meegewerkt. Uiteindelijk heeft hij het haar niet verteld. 'Als ze het ooit leest, zal ik zeggen dat ik het niet durfde te vertellen, omdat ik nooit weet hoe ze zal reageren. Misschien vindt ze het goed, maar ze kan ook heel boos worden.' Toch heeft hij zijn echte naam gebruikt en wil hij graag op de foto. 'Omdat ik niks wil verzwijgen.'

ESTHER VERTELT: 'NU HOREN WE ECHT BIJ ELKAAR'

De kinderen Smit zitten aan tafel. Aan de ene kant twee jongens met vrolijk glinsterende donkerbruine ogen en korte zwarte haren. David en Didi zijn allebei twaalf jaar. Ze zouden een tweeling kunnen zijn. Aan de andere kant twee meisjes. Yael van negen jaar heeft twee donkerblonde vlechtjes en Esther van vijftien draagt haar lange zwarte haren in een staart.

Ze zijn gezellig aan het kletsen. 'Weet je nog dat jij Yael voor de gek hield toen we bij mama sliepen?' vraagt Esther aan David. Hij lacht; dat herinnert hij zich wel. Voordat hun vader met de moeder van Didi en Yael trouwde, gingen ze al bij elkaar logeren. Sinds zeven jaar vormen ze samen een gezin.

Didi en Yael hebben hun echte vader al jaren niet gezien. Hij woont in Israël en belt met verjaardagen. Toen ze met hun moeder naar Nederland kwamen, waren Didi en Yael nog zo jong dat ze zich er bijna niets van herinneren.

Esther en David waren zeven en vier jaar toen hun ouders gingen scheiden. Bijna een jaar hebben ze bij hun moeder Monique en hun oma gewoond. Tot ze terug wilden naar hun vader. Steeds minder vaak gingen ze naar Monique. Nu noemen Esther en David haar geen moeder meer. Tweeëneenhalf jaar geleden besloot Esther dat ze Monique niet meer wilde zien. 'Als mensen horen dat ik geen contact heb met mijn echte moeder, vinden ze dat erg vreemd,' weet Esther. Hoe dat zo gekomen is, heeft ze zelfs haar beste vriendin niet helemaal verteld. 'Het is heel persoonlijk en ingewikkeld. Alleen iemand die hetzelfde heeft meegemaakt, kent die gevoelens. Anderen kunnen dat nooit begrijpen, denk ik.' In dit boek wil ze toch proberen het uit te leggen.

Op dit moment is Esther gelukkig. De nieuwe vrouw van haar vader is als een moeder voor haar. En zo noemt ze haar ook. 'Mama heeft zelf ook midden in een scheiding gezeten. Het is fijn om er met haar over te praten. Ik voel me veel dichter bij haar en Didi en Yael staan dan ik ooit bij Monique heb gevoeld. Dat klinkt raar, want met Monique heb ik een bloedband en met hen niet. Toch voelt het zo. En dat is ongelofelijk fijn.'

In de stad waar ze vroeger woonden, hadden Esther en David dezelfde oppas als Didi en Yael. Daar hebben hun ouders elkaar ontmoet. 'Mama had haar sleutels in de auto laten liggen. Papa maakte de achterklep open en maakte een gat in de achterbank om de sleutels te kunnen pakken.' Esther lacht: 'Mama vertelde later dat hij indruk op haar probeerde te maken. "Meid, je bent een wereldwijf," had hij tegen haar gezegd. Dat vond ik zo leuk om te horen!'

Al snel kwamen ze vaak bij elkaar. 'David en Didi konden meteen goed met elkaar opschieten en ik tutte lekker met Yael. We sliepen vaak bij mama. Dan lagen David en ik bij Didi en Yael op de kamer. We legden matrassen op de grond. Heel gezellig. Ik was gelukkig, omdat we al een beetje een geheel begonnen te vormen.' Ze laat foto's zien van de eerste keer dat ze samen op vakantie gingen naar Spanje. 'We sliepen met zijn allen in een tent op een camping. Eigenlijk was het allemaal heel vanzelfsprekend.'

Esther (in het midden met zwarte jas) met haar stiefmoeder, vader, stiefzusje Yael, stiefbroer Didi (links) en broer David.

Na ongeveer een jaar was het zover. Vader en moeder riepen de kinderen bij elkaar. Esther: '"Hoe zouden jullie het vinden om broers en zussen te worden?" vroegen ze. "En hoe zouden jullie het vinden om een nieuwe vader en moeder te krijgen? Dus hoe zouden jullie het vinden als wij gingen trouwen?" Nou, wij hadden helemaal geen bezwaar!'

Ze laat foto's van de bruiloft zien. 'Op vijf november is het zeven jaar geleden. We hadden dit huis al gekocht en het was net ingericht.' Ze wijst: 'Kijk, papa en mama droegen allebei een mooi pak, want mama wilde niet in een jurk. Na de brui-

loft hadden we een groot feest met onze families. Ik heb echt lol gehad die dag.' Op de volgende foto staan vader en moeder innig te zoenen. Esther lacht: 'Dat moest er ook op natuurlijk! Nu zijn we een gezin en horen we echt bij elkaar. Het voelt alsof ik altijd al was voorbestemd om dit geluk te hebben na een vreselijk moeilijke tijd.'

Haar nieuwe gezin lijkt niet op het gezin dat Esther en David vroeger vormden met hun vader en Monique. 'Zij waren toen allebei weinig thuis,' vertelt Esther. 'Papa is manager bij een bedrijf en hij werkte zich rot. Monique gaf meer geld uit aan zichzelf dan aan ons en papa. Ze dropte ons bijna elke dag bij de buren. Waar ze dan heen ging, weet ik niet. Ze had volgens mij geen werk. Gelukkig vingen de buren ons goed op. 's Ochtends gingen we met hen naar school en 's middags haalden ze ons meestal weer op. Ze hadden twee kinderen waar David en ik veel mee omgingen. De buren waren een soort tweede thuis voor ons. Op dat moment was ik, denk ik, wel gelukkig. Toch had ik het gevoel dat er iets niet klopte. Ik denk omdat de buurvrouw er wel voor haar kinderen was.'

Esther vroeg nooit wat Monique overdag deed. 'Als kind denk je toch dat het wel goed zal zijn.' Haar vader wist ook niet wat zijn vrouw deed op doordeweekse dagen, weet ze sinds kort. 'Hem hield ze altijd een ander praatje voor. Ze zei dat ze iets leuks met de kinderen had gedaan of in huis had gewerkt.'

Het gevoel dat er iets niet klopte, maakte Esther onzeker. 'Ik voelde me vreemd. Alsof er iets met míj mis was. Daardoor gaf ik mezelf nooit helemaal bloot. Ook niet tegenover mijn vriendinnetjes.' David had daar minder last van, denkt ze. 'Hij was een vrolijk kind. Maar hij kon ook heel teruggetrokken zijn. Eigenlijk was Monique een soort stoorzender voor ons, waardoor wij ons niet normaal konden ontwikkelen. Dat kwam doordat ze er niet voor ons was. Ze gaf ons niet het gevoel dat we een nest hadden waar we altijd terecht konden. Toen besefte ik dat niet. Dat zie ik nu achteraf.'

Ze heeft weinig leuke herinneringen aan die tijd. 'Op zondag was er altijd een uitgebreid ontbijt. Dat was iets waar ik naar uitkeek, omdat we dan met zijn vieren waren. We deden met zijn vieren ook wel eens iets leuks, geloof ik. Maar dat wordt verdrongen door de slechte herinneringen.'

De belangrijkste herinnering staat in haar geheugen gegrift. 'Het gebeurde op een zondagmiddag. We hadden laat ontbeten. Monique en papa zaten op de bank en riepen ons bij zich. Papa zei: "We moeten jullie iets vertellen," en Monique zei: "Jullie vader en ik gaan scheiden." Ze zei het zo ineens, zonder gevoel en zonder emotie. Geen verzachtende woorden. David keek verdwaasd voor zich uit. Ik ook. Toen begon ik te huilen. Monique trok mij tegen zich aan. David ging bij papa op schoot zitten en huilde ook. Papa had hem in zijn armen alsof hij het meest kostbare bezit was dat hij had. Monique wreef alleen een beetje over mijn armen. Op een gegeven moment pakte ik Davids hand, omdat ik met hem en papa verbonden wilde zijn. Het leek of ik zelf werd vastgehouden door iemand die er niks bij voelde.'

Hoe de dagen en weken daarna verliepen, weet Esther niet meer. 'Monique was weg. Verder weet ik alleen dat David en ik erg verdwaasd waren. We hadden een soort hersenschudding opgelopen, leek het wel. Op school was ik afwezig en ik kon me niet goed concentreren. Natuurlijk heeft mijn vader de juf ingelicht, maar volgens mij heb ik er met niemand over gepraat. Mijn vriendinnetjes wisten het, denk ik, niet. Die waren gewend dat de buren ons van school kwamen halen.'

'Aan de ene kant wilde ik tegen niemand iets zeggen omdat het zo moeilijk was. Aan de andere kant wilde ik uitschreeuwen: "Help me alsjeblieft, want ik weet niet hoe ik hier mee om moet gaan!" Op dat moment had ik nog niet het gevoel dat er iets uitgelegd moest worden. Ik dacht alleen: "Ze is weg, ze is weg, ze is weg!" Mijn wereld was in elkaar gestort.'

'Na een paar jaar besefte ik beter wat er was gebeurd. Ik was bepaalde dingen te weten gekomen. Toen ging ik me afvragen waarom Monique ons niet meer wilde hebben, waarom ze geen alimentatie betaalde en nog veel meer.'

Ze durfde het niet rechtstreeks te vragen. 'Mama dacht dat ik misschien antwoorden kon krijgen als ik Monique brieven zou schrijven. Daarom begon ik met een briefwisseling. In mijn brieven heb ik allerlei vragen gesteld over waarom het zo is gelopen. Daar kreeg ik hele vage antwoorden op. Dat was niet bevredigend. Daarom wilde ik kijken of Monique een tweede kans wilde aanvaarden. Ik vroeg of ze het misschien nog een keer wilde proberen. Of ze een echte moeder voor me wilde zijn en er honderd procent voor zou willen gaan. Toen kreeg ik een brief terug waarin ze schreef: "Ik een moeder voor jou zijn? Wees jij eerst maar eens een dochter voor mij!"'

Esther is even stil. 'Het was een klap voor mij dat ze dat schreef. Na die brief heb ik lang nagedacht en ten slotte wist ik dat het afgelopen was. Ze wilde het niet goedmaken, op geen enkele manier. Daarom wilde ik geen contact meer met haar. "Als jij geen moeder voor mij wilt zijn, hoef ik je niet meer te zien," schreef ik. Ik wilde ook geen telefonisch contact en geen brieven en kaarten. Ze schreef terug dat ze dat respecteerde.'

Voor David hoefde het ook niet meer, vertelt Esther. 'Hij had al langer het gevoel dat Monique zijn moeder niet meer was. Misschien omdat ze altijd meer aandacht aan mij besteedde toen we nog bij haar kwamen.'

In de laatste tweeëneenhalf jaar heeft ze Monique nog één keer gezien. 'Dat is ongeveer een half jaar geleden. Ik zat boven op mijn kamer te studeren toen de bel ging. Mama deed open. Ze riep papa. Ik luisterde mee. Dat deed ik altijd als de deurbel ging, want ik verwachtte dat Monique een keer voor de deur zou staan. Toen ik haar stem hoorde, vloog ik naar beneden. Eigenlijk had ik me voorgenomen om op mijn kamer te blijven, maar ik was zó kwaad. Waar haalt ze het gore lef vandaan, dacht ik.'

'Monique stak haar hoofd om de deur en zei "hoi". Alsof er niks gebeurd was. "Wat doe jij hier?" vroeg ik. "Ik wil zien hoe het met je is," zei Monique. "Ik heb het recht je te zien, want je bent en blijft mijn kind." "Jij hebt je rechten verspeeld en ik wil dat je nú weggaat," zei ik. "Oké, dan praat ik toch met je vader," zei Monique toen.'

'Dus ik werd weer aan de kant geschoven. "Je komt hier niet om iets goed te maken," riep ik. "Je wilt alleen iets eisen en dat doe je op een vreselijk egoïstische en arrogante manier." Ik keek mijn vader aan. Hij knikte dat ik naar boven kon gaan en toen nam hij het gesprek over. Monique wilde weten hoe het met mij en David was. Ze wilde foto's en eens in de zoveel tijd een briefje of zo. Ik zat boven aan de trap te luisteren. Papa zei: "Ik zal het er met de kinderen over hebben. Als zij het niet willen, gebeurt het niet." "Oké, oké," zei Monique. Toen ging ze weg. Ze deed zo koel als ik weet niet wat.'

De nieuwe vrouw van haar vader was blij verrast dat ze Monique zo hadden weggestuurd. '"Wauw, wat zijn jullie emotioneel sterk geworden," zei mama later tegen papa en mij. Dat klopt. Dat komt doordat ik zo lang geen contact met Monique heb gehad en ik een soort muur tegen haar heb opgebouwd. Vroeger durfde ik niet tegen haar in te gaan, maar nu dus wel. Mij krijg je niet meer stuk. Als ze een pistool op mijn hoofd had gericht, zou ik gezegd hebben: "Ik ga nog liever dood dan dat ik met jou meega!" De rest van die dag was ik heel kwaad. Maar de volgende dag heb ik gewoon mijn proefwerken gemaakt. En ik haalde goede punten. Toen wist ik dat ik het hoofdstuk met Monique had afgesloten. Ik kan die vrouw nu aan. Ze heeft totaal geen band meer met mij. Ik ben van haar bevrijd.'

JAMMER DAT HENK NIET MIJN ECHTE PAPA IS

Julie en Lotte willen niet dat hun vader weet dat ze aan dit boek meewerken. Ze denken dat hij dat niet leuk zal vinden. 'Hij is directeur van een makelaarsbedrijf en wil zijn stand hooghouden,' vertelt Julie. 'Tegenover kennissen kan hij daarom niet laten blijken dat hij problemen heeft met zijn gezin. Hij wil alles zo gelukkig mogelijk laten lijken.' Lotte: 'Ik vertelde papa een keer dat ik had gepraat met een meisje dat dezelfde problemen heeft. Hij vond dat onzin. "Er is helemaal niks aan de hand," zei hij. Toen kregen we een beetje ruzie. Dat vond ik niet leuk.'

De zussen verzonnen de namen Julie en Lotte voor zichzelf. Julie is twaalf en Lotte is negen jaar. Samen met hun moeder, stiefvader Henk en stiefzusje Fanny wonen ze in een vrijstaand, modern huis in een klein dorp. Naast de woonkamer is een televisiekamer met comfortabele bruine banken en een groot televisiescherm aan de muur. Hier vertellen de zussen hun verhaal.

Julie was vier jaar en Lotte één toen hun vader en moeder uit elkaar gingen. 'Ik herinner me dat ik op de grond met blokken speelde,' vertelt Julie. 'Papa en mama zaten te praten in een nisje in het huis waar we toen woonden. Ik had niks in de gaten, want mijn gedachten waren bij de blokken. "Wat zou je ervan vinden als papa weggaat?" vroeg mama. Ik zei dat ik het niet erg vond. Ik zag hem vaker een paar dagen niet, want hij was overdag bijna nooit thuis. Later vertelde mama dat ik vroeg of papa zijn tennisracket ook meenam. Ze probeerde uit te leggen dat hij niet terugkwam, maar ik snapte het niet. Of ik wilde het niet snappen. Ik denk dat ik het begon te begrijpen doordat hij Lotte en mij telkens kwam ophalen en ons meenam naar zijn appartement. Ik vond het raar dat mama toen niet meeging.'

'Waarom hij wegging, heb ik nooit precies geweten. Ik weet wel dat hij Mieke tegenkwam en dat hij wilde dat mama ging werken. Hij en mama zijn heel verschillend. Voor papa zijn werk en geld heel belangrijk. Mama vindt de kinderen het belangrijkst. Zij wil graag thuis zijn, als wij uit school komen.'

Julie is het met haar moeder eens. 'Het is belangrijk om een goede band met je kinderen te hebben. Zodat ze het gevoel hebben dat ze al hun problemen kunnen vertellen en zich thuis veilig voelen. Als je er weinig bent, kun je zo'n band niet opbouwen.'

Lotte weet dat haar vader verliefd werd op Mieke. Dat vindt ze niet netjes van hem. 'Eigenlijk mag dat niet, vind ik. Maar ik ben ermee opgegroeid. Ik hoefde nooit te vragen wat er aan de hand was, omdat mama het allemaal vertelde toen ik nog klein was. Dat is nooit meer uit mijn hoofd gegaan.'

Om de week gaan de zussen een weekend naar hun vader. In het begin vonden ze dat leuk. Julie: 'Ik kreeg een schildersezel van papa en Mieke. En samen bouwden we met blokken vaak paleisjes. Papa had toen meer tijd voor ons.' Dat bleef niet zo. Lotte: 'Toen ons broertje Julius twee jaar geleden werd geboren, is alles veranderd. Papa en Mieke gingen minder aandacht aan ons besteden. Daardoor lijkt het of ze meer van Julius houden dan van ons. Thuis werd het juist leuker toen mama Fanny kreeg. Mama geeft iedereen evenveel aandacht.'

Julie: '"We gaan elke woensdag bellen," zei papa tegen mij. Hij heeft het maar een paar keer gedaan. Ik vroeg een keer waarom hij nooit meer belde. "Jij zou toch bellen!" zei hij toen. Daardoor ging ik twijfelen. "Is dat waar?" dacht ik. Elke week bellen was voor mij niet vol te houden omdat ik nog best jong was.'

Een paar jaar geleden zei vader dat hij zijn dochters meer wilde zien. 'Eerst haalde hij ons op zaterdagochtend en bracht ons op zondagmiddag terug. Dat vond hij nu ineens te kort. Daarom wilde hij ons op vrijdag voor het avondeten al ophalen.' Dat zag Julie niet zitten. 'Dan zou ik na school nog maar eventjes thuis zijn op vrijdag. Terwijl ik die avond altijd een fijne overgang naar het weekend vond. Papa zei: "als jullie op vrijdag komen, hebben we meer weekend samen. Dan kunnen jullie twee nachtjes bij ons slapen. Dat is leuker en dan kunnen we elkaar beter leren kennen."'

'Ik heb nooit tegen hem durven zeggen dat ik het niet wilde. Tegen mama zei ik dat wel. Zij vond dat ik toch moest proberen op vrijdag al te gaan. Het zal wel meevallen als het eenmaal zover is, zei mama. Toen dacht ik: misschien heeft papa gelijk en misschien valt het inderdaad mee. Dus op een gegeven moment had ik er wel vrede mee.'

Een half jaar geleden kwam vader met nog een eis. Nu wilde hij dat zijn dochters niet meer hockeyden in de weekends dat ze bij hem zijn. 'We hockeyen al een paar jaar,' vertelt Julie. 'Papa ging op zaterdagen vaak mee naar wedstrijden. Soms kwamen Mieke en Julius ook kijken. Dat vond ik leuk, want dan stond er eens iemand anders langs de lijn dan mama. Maar ineens zei papa: "Ik heb het lang genoeg aangekeken. Het hele weekend is naar de knoppen door dat hockeyen."'

'Ik probeerde uit te leggen dat mijn team en mijn coach het niet leuk zouden vinden als ik om de week niet mee speelde. Zelf vond ik dat ook niet leuk. Papa zei dat mijn team en coach hier niks mee te maken hadden. Hij vond dat ik het vanuit zijn standpunt moest bekijken. En dat het niet goed was voor de band die we aan het opbouwen waren.'

Julie vond het een moeilijk probleem: 'Aan de ene kant wilde ik best een betere band opbouwen. Dan zou ik het misschien leuker vinden om naar hem toe te gaan. Aan de andere kant maakte hij juist geen goede band door te zeggen dat ik met mijn hobby moest stoppen.'

Ze zat er erg mee. 'Mijn vriendinnen merkten dat er iets aan de hand was. Ik was stiller en minder vrolijk dan anders en ik reageerde kortaf. Dat kwam doordat ik 's nacht niet sliep. Vaak lag ik te huilen. Op een gegeven moment vertelde ik het aan mijn beste vriendin. Zij begreep heel goed hoe erg ik het vond. Hoe durft je vader dat van je te vragen, zei ze.'

Vader bleef bij zijn eis. Julie: 'Aan de telefoon zat ik tot huilens toe mijn standpunt te verdedigen. Dat was het ergste gesprek dat ik ooit heb gevoerd. Papa zette mij heel erg onder druk. Je moet het vanuit mijn standpunt bekijken, zei hij weer. Later zul je zien dat ik gelijk heb gehad.'

Toen Julie niet toegaf, werd haar vader erg boos. '"Dan kom ik je niet meer halen," zei hij. Nou, dat leek mij eigenlijk wel een goed idee. Op televisie zie je programma's met mensen die hun vader nooit hebben gekend en hem graag willen ontmoeten. Ik ken hem wel en voor mij hoeft het niet meer, dacht ik. "Daar krijg je later spijt van. Want het is en blijft je vader," zei mama.'

'Ik moest zelf de beslissing nemen, maar mama heeft wel geprobeerd me te helpen. Ze bereidde me een beetje voor. Omdat ze wel wist dat ik zou stoppen met hockey, denk ik. Waarom denk je dat je vader dat vraagt? vroeg ze bijvoorbeeld. Uiteindelijk dacht ik: misschien wordt het dan toch leuker bij papa. Ik kan er altijd nog op terugkomen. En dan kan hij me tenminste niet verwijten dat ik het niet heb geprobeerd.'

Lotte weet niet of ze haar vader beter wil leren kennen. 'Ligt eraan of hij aardig doet,' zegt ze. 'Als we met zijn allen iets leuks doen, besteedt hij vaak meer aandacht aan Julius. Dan zit hij de hele tijd met hem in een baby-attractie. Meestal doen Mieke, Julie en ik iets met zijn drietjes. We zijn een paar keer naar Bobbejaanland geweest, naar de dierentuin en winkelen in de stad. Julius is dan in de crèche en papa werkt.'

'Als we met zijn allen naar een restaurant gaan, is Julius bij een oppas,' vervolgt ze. 'Meestal is het een net restaurant met witte tafellakens en klassieke muziek. Daar hou ik niet zo van. Je krijgt er rare dingen te eten. Met mama gaan we gewoon naar een gezellig restaurant met leuke muziek. Daar krijg ik spareribs met frietjes en ijs. Dat vind ik lekker. De restaurants waar we met papa heen gaan zijn veel duurder, maar daar geef ik niet veel om. "Doe net alsof je goed opgevoed bent," zegt hij dan altijd. Dat vind ik stom. Net of mama ons niet goed heeft opgevoed.'

Soms gaan vader en Mieke met hun tweeën uit eten. 'Dan komt er iemand op ons passen. Ik had net zo goed thuis kunnen blijven, denk ik dan. Maar dat vind papa onzin. Het gebeurt ook wel eens dat hij niet wil dat we komen, omdat hij met Mieke op vakantie gaat. Dan ben ik best blij, want ik blijf liever bij mama en Henk thuis. Dat is gezelliger en hier mag ik gewoon hockeyen.'

Lotte vindt dat haar vader Julius voortrekt. 'Als Julius papa zegt, vraagt hij meteen wat er is. Ook als wij op dat moment iets aan het vertellen zijn. Julie en ik mogen niet samen met Julius spelen. Dat is veel te druk en dan kan hij gaan huilen. Terwijl papa en Mieke ook de hele tijd met Julius spelen.'

Moeder vond dat Lotte haar vader moest laten weten wat ze voelde. '"Misschien kun je het schrijven in een e-mail. Of zeggen in een telefoongesprek," zei mama. Maar ik had nog geen mailadres. En een telefoongesprek vind ik niet leuk, omdat ik dan vaak niet durf te zeggen wat ik denk. Daarom heb ik voor brieven gekozen.'

Ze heeft er ongeveer drie geschreven, vertelt ze. '"Alleen voor papa," schreef ik er op. Maar Mieke las hem ook. Ik ben het er helemaal niet mee eens, zei ze. Op de volgende brief schreef ik heel groot: ALLEEN, ECHT ALLEEN VOOR PAPA. Toch las Mieke hem weer.'

Bovendien begreep haar vader de brieven niet goed, denkt ze. 'Hij dacht dat ik hem miste en dat ik hem vaker wilde zien. En Mieke ging ineens veel aardiger doen. Omdat papa dat wilde, denk ik. Misschien wil Mieke dat ik van haar ga houden of zo. Dat doet ze dan wel verkeerd. Je moet aardig doen uit jezelf, niet omdat een ander dat wil.'

Lotte wilde geen brieven meer schrijven. Ze ging naar een praatgroepje voor kinderen van gescheiden ouders. 'Volgens mij had mama daarover in de krant gelezen. Ze vroeg wat ik ervan zou vinden. Als ik met andere kinderen praat over de problemen met papa, kan ik horen hoe zij dat oplossen, dacht ik.' Haar vader vertelde ze niet over het praatgroepje, omdat hij immers vond dat er geen problemen waren.

'De eerste keer was ik best zenuwachtig. Mama zei dat ik er altijd mee kon stoppen als ik het niet leuk vond.' Dat bleek niet nodig. Lotte: 'Er waren ongeveer tien kinderen. We deden een soort stoelendans. Als de muziek stopte, moest je praten met iemand die het dichtst bij je stond. Dan moest je zeggen wat je niet leuk vond en vragen of die daar misschien een oplossing voor wist.' Toen de muziek stopte, stond Lotte naast een van de twee leidsters. 'Ik vroeg of ze er misschien een oplossing voor had wanneer het lijkt of papa me niet wil begrijpen als ik hem iets vertel. Ze zei dat ik erbij kan vertellen dat ik hem geen verdriet wil doen. En dat ik kalm moet blijven en niet boos worden.'

Dat heeft Lotte geprobeerd. '"Als wij bij jou zijn, zit jij meestal achter je bureau te werken. En Mieke heeft alleen aandacht voor Julius," zei ik tegen papa.' Het heeft geholpen. 'Papa en Mieke besteden nu iets meer aandacht aan ons. We doen vaker spelletjes met elkaar en ik mag later opblijven om mee film te kijken. Als ik een feestje heb, houdt papa er een beetje rekening mee. Eerst mocht ik daar niet naartoe. Nu wel, als we toch niks leuks gaan doen met zijn allen. "Ik vind dat ik een weekend tegoed heb," zegt hij dan. En mama zegt: "Oké, dan wisselen we een weekend."'

De zussen vertellen over het vorige weekend dat ze bij hun vader waren. 'Eigenlijk viel het best mee,' vindt Julie. 'Maar papa was wel ongeïnteresseerd in de auto. Op de heenweg vroeg hij wat voor cijfers ik had gehaald op school. Toen ik er een paar noemde, mompelde hij "hmm, hmm" en verder niks. Alsof ik iemand een product wil verkopen waarin hij niet geïnteresseerd is.' Julie vond de rit van bijna drie kwartier lang duren. 'Het was de hele tijd stil. Ik speelde met mijn mobiele telefoon en telde verkeersborden. Lotte lag te slapen.'

'Toen we aankwamen, gingen papa en Mieke eerst Julius in bed leggen,' vertelt Lotte. 'Zij hadden al gegeten, daarom aten Julie en ik alleen. Daarna keken we met zijn allen televisie. Best gezellig.' Julie: 'Als we bij hen zijn, kijken we bijna elke avond samen televisie of een film. Papa zit altijd aan de rechterkant van de bank, daarnaast zit ik, naast mij zit Lotte en naast haar zit Mieke. We drinken altijd thee en na een uurtje komt Mieke met de chips.' Ze lacht: 'Dat is een soort gewoonte aan het worden.'

'De volgende ochtend keken we met zijn allen bij papa en Mieke televisie op bed,' vertelt Lotte. 'Daarna ging ik met Julius doktertje spelen. Dat was heel grappig. Hij stopte de babypop onder mijn trui en haalde een zaag om hem eruit te halen.'

Met haar vader heeft Lotte foto's bekeken. 'Van vakanties en zo. Op de meeste foto's zie je niet dat we samen zijn. Daarop staan alleen Julie en ik, of Mieke en Julius samen. Ik vind het leuker als je er met zijn allen op staat, want dan zie je dat je bij elkaar hoort.'

Julie zat dit weekend veel op haar kamer, vertelt ze. 'Omdat ik moest leren voor mijn proefwerkweek. Zaterdag wilde ik eigenlijk gaan winkelen in de stad. Ik doe niks liever dan geld uitgeven aan kleren en sieraden. Maar het regende een beetje. Mieke vond het te koud. En Julius was moe en moest naar bed.'

Verder deed Julie niet veel. Ze heeft geen vrienden of vriendinnen in de buurt waar haar vader woont. En ze heeft geen zin om met iemand kennis te maken, zegt ze. 'Als we in de zomer achter het huis in het zwembad liggen, horen we soms kinderen in de tuin achter ons. Het zijn, geloof ik, drie meisjes. Lotte zei dat er eentje net zo oud is als ik. Dat zegt niks. Misschien is dat meisje heel kinderachtig en speelt ze nog tikkertje. Eigenlijk boeit het me niet. Meestal ben ik liever op mezelf.'

Lotte vindt de buurt waar haar vader woont niet leuk. 'Ik kan er niet zomaar gaan fietsen of skeeleren, omdat het verkeer er hartstikke druk is. En ik ken daar niemand om mee te spelen.' Ook zij heeft geen zin om kennis te maken met kinderen in de buurt. 'Die zien we toch maar af en toe.' Julie: 'Papa heeft geen contact met de buren. Ik heb wel eens gevraagd waarom. Toen zei hij dat ze daar waarschijnlijk niet blijven wonen.'

De zussen vinden het niet erg als hun vader gaat verhuizen. 'Het huis waar hij nu in woont, vind ik niet fijn,' zegt Lotte. 'Het is best oud en ik voel me er niet echt thuis. Als ik daar wakker word, denk ik vaak dat ik in mijn eigen bed lig. Dan hou ik nog even mijn ogen dicht. Want hier bij mama voel ik me wel thuis.'

'Het huis van papa heeft allemaal donkere hoekjes,' vertelt Julie. 'Ik vind het eng dat er andere mensen in hebben gewoond. Wie weet wat er met hen gebeurd is in dat huis. Daarom vind ik het eng om er in mijn eentje naar boven te lopen.'

Aanvankelijk hadden Julie en Lotte samen een grote kamer in het huis van hun vader. 'Dat ging niet goed omdat we vaak ruzie hadden,' vertelt Julie. 'Op een gegeven moment zei papa dat we ieder op een aparte kamer moesten. Nu slaapt Julius in onze oude kamer en ik op zijn kamer. Die heeft vreselijk behang met hondjes erop. Ik wilde de muren schilderen, maar dat mocht niet van papa omdat ze binnenkort gaan verhuizen. Ze hebben geloof ik al een perceel grond gezien. Het lijkt mij fijn als ze een nieuw huis laten bouwen. Ik denk dat ik dan wel iets te vertellen heb over de kamer die ik krijg.'

Met vaderdag zijn de zussen dit jaar niet bij hun vader geweest. Julie: 'Dat was raar. Alle jaren roept hij dat hij ons bij zich wil hebben op vaderdag. En nu moest hij ineens naar een voetbalwedstrijd!' Lotte: 'Dat vond ik stom. Later is hij toch niet naar de wedstrijd gegaan, omdat Mieke zich niet lekker voelde. Hij had dus best even kunnen bellen om te zeggen dat we wel konden komen. Maar eigenlijk vond ik het wel leuk om een keertje thuis te zijn met vaderdag. Nu mocht Henk kiezen wat hij wilde eten en kreeg hij cadeautjes.'

Henk is nu ongeveer zeven jaar bij hen, schat Julie. 'Ik weet nog goed dat ik hem de eerste keer zag. Hij kwam op bezoek toen mama, Lotte en ik een tijdje bij oma woonden. Ik had een trouwjurkje van een barbie. Ga jij met mama trouwen? vroeg ik

aan Henk. En koop je dan ook zo'n mooie jurk voor haar?'
Julie lacht: 'Ik denk dat ik behoefte had aan een echt gezin met
een moeder en een vader.'

'Het klikte meteen tussen ons. Henk en ik hebben best veel
eigenschappen gemeen. We willen allebei ons gelijk en kunnen
allebei heel fel zijn als we boos zijn. Met hem kan ik over alles
praten. Mieke zegt dat we met papa ook over alles kunnen praten, maar ik heb niet het gevoel dat hij mij begrijpt. Papa behandelt mij als een vijfjarige. Alsof de tijd is stil blijven staan
toen hij wegging en hij alleen de weekenden en de vakanties
bij elkaar heeft opgeteld. Als je zo rekent, is Henk langer in
mijn leven dan papa. Daarom kent hij mij beter. Het voelt alsof
hij mijn vader is.'

Thuis zeggen Julie en Lotte altijd papa tegen Henk. Als ze
bij hun vader zijn, doen ze dat niet. 'Hij vindt het niet leuk als
we Henk zo noemen,' vertelt Lotte. '"Niks papa. Dat is Henk,"
zegt hij dan. "Je hebt maar één papa." Ik vind het jammer dat
Henk niet mijn echte papa kan worden.'
In de zomervakantie moesten de zussen met hun vader op
vakantie naar Italië. 'Eigenlijk twee weken, maar het werden
er maar anderhalf. Mieke voelde zich niet lekker omdat ze
zwanger is,' vertelt Lotte. Het lijkt haar best leuk om een nieuw
broertje of zusje te krijgen, zegt ze. 'Maar voor Julius zal het
moeilijk zijn, denk ik. Als hij niet genoeg aandacht krijgt, gaat
hij huilen.'

Ze vond het niet erg dat de vakantie werd afgebroken. 'We
verveelden ons daar. Het zwembad was niet zo leuk. Er was wel
een disco, maar daar was ook niks aan. Papa zei dat we niet

moesten mokken. Maar ik miste mama heel erg. Ik mocht haar maar een paar keer bellen. Sms'en kon ook, maar Julie zat steeds naar haar vrienden te sms'en en toen had ze geen beltegoed meer.'

Julie heeft op vakantie een fikse ruzie gehad met haar vader en Mieke, vertelt ze. 'Lotte en ik wilden graag plankjes voor op de zee. Mieke zei dat we die van ons zakgeld moesten kopen. Terwijl Julius een stuk of zes opblaasbootjes had gekregen. Toen ik daar iets van zei, kregen we ruzie. Mieke schold mij uit voor ondankbaar wicht en zei dat ik altijd alleen aan mezelf denk. "Ik zal nooit een moeder voor jullie zijn. Dat heb ik nooit geprobeerd en dat wil ik ook niet worden," zei ze. En papa begon allemaal dingen over mama te zeggen. Dat het niet eerlijk was gegaan met de verkoop van het huis en dat ze alles van hem had afgepakt. Mama hield ons vroeger bij hem weg, zei hij. Door alles wat papa zei kreeg ik het idee dat ik tussen twee werelden in stond. Alsof ik een keuze moest maken. Ik verdedigde mama. Ze heeft altijd gezegd dat ze niet tussen papa en ons in wil staan.'

Volgende zomer mogen de meiden zelf kiezen of ze mee op vakantie willen, heeft hun vader nu beloofd. Daar hoeven ze niet lang over na te denken. 'Dan ga ik echt niet mee,' verzekert Lotte. 'Voor de eerste keer in mijn leven ben ik dan zes weken achter elkaar thuis,' glundert Julie. 'Dat zal ik echt geweldig vinden. Dan kan ik afspreken met vriendinnen wanneer ik wil en hoef ik niet eerst te vragen of ik wel thuis ben.'

Toch zit het ze niet helemaal lekker. 'Als ik moeder was en

echt van mijn kinderen hield, zou ik er niet aan moeten denken dat ze niet mee op vakantie gaan,' zegt Julie. Lotte is kwaad.
'Papa heeft gezegd dat hij ook tijd wil doorbrengen met zijn
gezinnetje. Sorry hoor, maar daar horen wij toch ook bij?'

IK WILDE PAPA EN MAMA NIET KWETSEN

Het is druk in de keuken. Britt past haar nieuwe kleren. Een groene broek met een groen vestje. 'Draai eens even om,' zegt haar moeder. 'Ja, het staat je netjes.' Britts vader Johan kijkt van een klein afstandje. 'Heel leuk,' vindt hij. Op de grond geknield zit Nancy, de nieuwe vrouw van Johan. Ze trekt aan een broekspijp. 'Die zal ik een beetje inkorten,' belooft ze. Britt kijkt blij.

Er is een tijd geweest dat haar vader en moeder niets met elkaar te maken wilden hebben. 'Ze zijn drie jaar geleden gescheiden. Toen ik vijf jaar was,' vertelt Britt. 'Ze maakten heel veel ruzie. Bijna elke dag. Toen wilden ze elkaar niet meer zien.' Over de ruzies praat Britt niet graag. 'Het ging over van alles. Ik weet niet precies wat. Ik hoorde papa en mama roepen. Soms luisterde ik op de trap, maar ik kon ze niet goed verstaan.'

Ze weet nog dat haar vader wegging. 'Hij zei dat hij naar het kerkhof ging. 's Avonds was hij nog niet thuis. Ik huilde, want ik was erg ongerust. Toen stuurde hij mij een bericht op mama's gsm; dat hij aan zee was. Die nacht mocht ik bij mama in bed slapen.'

Haar vader verhuisde. 'Papa en mama vroegen hoe vaak ik bij wie wilde zijn,' vertelt Britt. 'Ik kon echt niet kiezen. Omdat ik niemand wilde kwetsen. Als ik voor papa koos, zou ik mama kwetsen. En dan wilde ik daarna toch bij haar zijn. En als ik voor mama koos, zou ik later toch bij papa willen zijn. Daarom heb ik ze zelf moeten laten kiezen.'

Om de veertien dagen ging ze een weekend naar haar vader. 'Dat vond ik leuk. We gingen vaak samen in de stad wandelen en dan kreeg ik veel dingen. Van Sinterklaas kreeg ik een pop en van papa de kleertjes.'

Soms miste ze haar vader. Dan vroeg ze aan haar moeder of ze naar hem toe mocht. Britt zet een boze stem op. '"Je bent nu bij mij en dan ga je niet naar papa," zei mama. In het contract van de echtscheiding stond wanneer ik bij mama was en wanneer bij papa. En dat moest zo blijven.'

De ruzies gingen door. 'Op school moesten we iets van verdriet tekenen. Ik tekende dat papa mij thuis kwam halen en dat mama aan de deur stond. 'Mama en papa maken ruzie,' schreef ik erboven. Ik moest vaak huilen. De juf probeerde mij te troosten. Mijn vriendinnen hielpen me ook. Ze speelden met mij, zodat ik de scheiding zou vergeten.'

'Van papa kreeg ik een gsm. Ik belde hem als ik hem miste. Of als ik wilde weten waar hij was en wat hij aan het doen was. Papa belde mij ook. Als hij iets wilde vertellen wat mama niet mocht weten.' Wat haar moeder dan niet mocht horen, weet Britt niet.

'Ik zei tegen papa en mama dat ik het niet fijn vond dat ze steeds ruzie maakten. Ik kon er niet meer tegen. Daarom hebben ze iemand gezocht die mij kon helpen.' Om de paar weken ging ze naar een mevrouw die ze Marie-Hélène noemt.

'Zij liet mij tekeningen maken van dingen die ik leuk vond. Dan tekende ik van vroeger; mama en papa en ik met ons drieën.'

'Marie-Hélène stond ook in mijn gsm. Als er weer ruzie was, kon ik haar bellen en met haar praten. Soms probeerde ik het zelf op te lossen door papa en mama een beetje uit elkaar te houden, maar dat lukte niet altijd. Ik zei tegen Marie-Hélène dat ik wilde dat ze minder ruzie maakten.

Toen heeft zij dat tegen papa en mama gezegd. En na een tijdje maakten ze bijna geen ruzie meer.' Britt lacht: 'Daar hebben Marie-Hélène en ik samen voor gezorgd.' Nu mag ze om de veertien dagen ook op woensdag naar haar vader.

'Papa heeft mama laten staan voor Nancy,' vertelt Britt. Dat heeft ze van haar moeder gehoord. 'Papa besliste dat ze uit elkaar zouden gaan. Mama wilde dat niet, maar papa heeft het toch gedaan.' Britt was boos op haar vader, bekent ze. 'Maar dat heb ik hem niet gezegd, omdat ik niet wilde dat hij het wist.'

Ze vindt de nieuwe vrouw van haar vader heel aardig. 'Van mama mocht ik Nancy niet zien. Ik weet niet waarom. Ik wilde haar wel leren kennen. Ze doet veel voor mij. Als ik vraag of we spaghetti eten, dan kookt ze dat. Ze naait kleren voor me. En ze heeft me vaak getroost als papa en mama ruzie hadden. Dan zei Nancy dat ze veel van mij houden en dat ze zijn gescheiden om een reden. Ik weet niet meer welke.'

Haar vader trok in bij Nancy en haar dochter Tony. 'Dat vond ik fijn,' vertelt Britt. 'Want papa moest vaak werken en ik was veel alleen. Nu kan ik met Tony spelen. Ze is tien jaar, maar ze is kleiner dan ik. Ik vond het niet fijn dat ik bij haar op een matras op de grond moest slapen. Zij wiebelt veel in bed en dat kwam steeds tegen mijn hoofd. Daarom heb ik het matras opgeschoven.'

Haar vader is met Nancy en Tony verhuisd. Britt hoeft niet meer op de grond te slapen, maar ze deelt nog wel een kamer met Tony. 'Ik vind het niet meer altijd fijn met haar,' bekent

Britt. 'Eerst maakte Tony mij wakker als ik wilde uitslapen. Dan wilde ze samen televisie kijken. Nu doet ze dat niet meer. 'Als jij Britt nog wakker maakt, krijg je straf,' heeft papa tegen haar gezegd. Maar nu hoor ik haar schoenen op de trap. En als ik wil slapen doet ze de hele tijd het licht aan en uit. Dan trek ik mijn laken over mijn hoofd. Daarvoor roep ik Nancy of papa niet, want dan worden zij boos op Tony. Ik wil haar niet kwetsen.'

Ook Tony wil meewerken aan het boek. Ze zit op een witte bank in de woonkamer van het huis waar ze woont met haar moeder Nancy en Britts vader Johan. Haar bruin met roze en geelgestreept vest staat vrolijk bij de witte meubels. Tony vond het fijn om Britt te leren kennen, vertelt ze. Want ook zij had geen broers en zussen en wilde graag iemand om mee te spelen.

Toch vindt ook zij het niet meer altijd leuk. 'Britt is veranderd. In het begin kenden we elkaar nog niet zo goed. Nu wel. Dat is leuker, maar ook minder leuk. We hebben vaker ruzie.

Britt lacht me uit en zegt dat ik een vriendje heb. Dat is helemaal niet waar. Ze speelt ook de baas over mij. Altijd als mama zegt: "Ga je wassen," zegt Britt even later: "Tony, ga je wassen!"' Tony slaakt een diepe zucht. 'Van dat gezeur krijg ik zó'n hoofd.'

Hoe lang het geleden is dat haar moeder Nancy en haar vader Bart zijn gescheiden, weet Tony niet precies. 'Ik was, denk ik, vijf jaar, of zes. Bij een ruzie maakten ze veel kabaal. Toen ging ik weg, televisiekijken. Mama vond, geloof ik, dat papa te braaf was. Hij was heel rustig. Hij keek veel televisie en hij snoepte veel. Dat had mama niet graag. Papa wilde eigenlijk niet scheiden, omdat hij nog veel van mama hield.'

Tony verhuisde met haar moeder. 'Ik was heel boos, omdat ik bij papa wilde blijven. Ik huilde en heb hem een dikke knuffel gegeven. Bij papa had ik nog mijn oude kamer van toen ik geboren was. Nu is die helemaal vernieuwd.'

Het nieuwe appartement van haar moeder vond Tony mooi, zegt ze. 'Maar ik moest daar een keer helemaal alleen blijven. Dat vond ik niet fijn. Mama moest iets gaan halen bij een vriend. Ze zei dat ze zo terug was, maar ik vond dat ze lang wegbleef. Ik ben opgestaan en heb televisie gekeken zonder dat mama het wist.'

Ze vertelt over de eerste keer dat Johan bij hen op bezoek kwam. 'Toen had hij nog een snor,' lacht ze. 'Ik liet al mijn boeken aan hem zien. Hij was aardig. Ik denk dat mama hem al langer kende, maar daar heeft ze nooit iets van gezegd. Ik weet niet waarom.'

'Van mama mag ik papa zeggen tegen Johan. Dat vind ik fijn. Maar papa Bart mag het niet weten. Als hij mij komt halen, zeg ik gewoon Johan. "Dat is je echte papa niet," zal hij anders misschien zeggen.'

Toen ze met haar moeder verhuisde, ging Tony naar een andere school. Daarna moest ze weer naar een andere school, toen ze samen met Johan verhuisden. 'Ik heb wel drie scholen gehad,' zucht ze. Ze vond het erg om van haar oude school weg te gaan. Haar vroegere vriendinnen ziet ze niet meer. 'Maar op de school waar ik nu zit, heb ik veel meer vriendinnen. Wel een stuk of tien.'

Eens in de veertien dagen gaat ze een weekend en een woensdagmiddag naar haar vader. Precies in de weken dat Britt niet bij haar is. 'Ik zou papa wel ietsjes meer willen zien, maar als ik naar school ga, kan dat niet, omdat mama mij altijd brengt. In de zomervakantie ben ik twee weken bij hem en twee weken bij mama of zo. Dat weet ik niet precies.'

Haar vader heeft een vriendin, vertelt ze. 'Maar ze wonen niet bij elkaar, omdat papa niet wil trouwen. Hij was al getrouwd met mama en hij wil niet nog een keer scheiden. Dat vind ik goed. Want scheiden is niet fijn.'

De moeder van Britt heeft een vriend die Daniël heet. Hij woont nu al een tijdje bij hen, vertelt ze. 'Dat is leuk. Als mama zegt dat ik moet gaan slapen, mag ik van Daniël nog opblijven. Zijn zoon Björn is net zo oud als ik. Die speelt nu vaak bij mij. In het begin maakten mama en Daniël vaak ruzie. Daarom wilde hij wegggaan. Hij vroeg aan Björn wat hij moest doen. Die zei dat hij moest blijven, omdat hij het fijn vond om bij mij te spelen.' Haar moeder en Daniël zijn niet getrouwd, vertelt Britt. 'Dat vind ik fijn, omdat ze dan niet kunnen gaan scheiden.'

Nancy en Johan zijn wel met elkaar getrouwd. Dus nu zijn Britt en Tony stiefzusjes. 'Het was een leuk feest,' vertelt Tony. 'We hadden mooie kleren aan en een fotograaf maakte foto's van ons.' Ook Britt is enthousiast. 'Papa en Nancy kregen veel cadeautjes. Ik mocht helpen ze open te maken. Ik ben blij dat ze getrouwd zijn, want ik zie graag mensen die lief voor elkaar zijn.'

Britt heet in werkelijkheid anders. Haar moeder vindt dat ze nog te jong is om te bepalen of ze met haar echte naam in dit boek komt. Als ze er later voor kiest bekend te maken dat ze hieraan heeft meegewerkt, vindt haar moeder dat prima. Britt heeft zelf haar naam gekozen. Haar stiefzus wilde zich bij haar aansluiten en koos de naam Tony.

ESTHER VERTELT: 'JE KOMT ER BIJ MIJ NIET MEER IN'

Samen met haar broer David, haar vader, zijn nieuwe vrouw en haar twee kinderen vormt de 15-jarige Esther een gezin. Ze is gelukkig. De band met haar echte moeder Monique heeft ze verbroken, vertelde ze eerder. Toch blijkt dat niet helemaal waar. Een week geleden stond Monique voor de tweede keer onverwacht voor de deur.

'Mama en papa waren niet thuis. David en ik hoorden de bel en we deden samen open. Daar stond Monique. David stond aan de grond genageld. Hij kon geen woord uitbrengen. "Wat kom je doen?" zei ik. "Ik heb iets voor jullie van oma," zei Monique. "Dat moest ik jullie geven."'

'Oma is al twee jaar dood. Dus het was gewoon weer een excuus om ons te kunnen zien,' vermoedt Esther. 'Monique deed erg uit de hoogte. Nou, dat kan ik ook. "Als het van oma is, wil ik het wel hebben," zei ik. "Maar als het van jou is niet." Toen vroeg Monique of David het wilde hebben. Hij zei nog steeds niks, dus ik vroeg wat hij ervan vond. Hij zei ook dat hij het wilde hebben als het van oma was. Anders niet. "Geef maar hier en ga weg," zei ik.' Esther was kwaad. 'Vorige keer moet Monique toch begrepen hebben dat ze hier niet moet komen, maar ze doet het gewoon nog een keer!'

Broer en zus kregen een parelketting en een schilderijtje dat bij oma in de huiskamer hing. Ze herkenden het meteen. Samen met Monique woonden ze namelijk bijna een jaar bij hun oma. 'Na de scheiding woonden we eerst even bij papa,' vertelt Esther. 'Toen zagen we Monique niet, geloof ik. Ik denk dat ze in die tijd een baan zocht en regelde dat we bij oma konden inwonen. Op een gegeven moment kwam ze ons gewoon halen. Het is mijn moeder en zo hoort het klaarblijkelijk, dacht ik.'

Oma woonde in een stad, twee uur rijden van hun vader vandaan. Esther: 'Op de hoek van een drukke straat, boven een soort kruidenier. Er was geen tuin en het was een vrij oud huis. Ik voelde me er niet echt op mijn gemak. Beneden moest je meteen een trap op. Die was met groene vloerbedekking bekleed. In de huiskamer stonden oude meubels. Sommige van leer. De badkamer was bruin en het keukentje had kleine raampjes.'

'Ik sliep met David in een stapelbed en Monique sliep in de logeerkamer naast de badkamer. Oma had geen goede gordijnen. Telkens als ik auto's voorbij hoorde razen, werd het licht in de kamer. Vaak lag ik lang wakker. Oma lag in de kamer naast ons. Zij viel vaak met de televisie aan in slaap. Dan sloop ik haar kamer in en zette hem uit.'

'Monique was altijd weg. Van 's ochtends vroeg tot 's avonds laat. Ik weet niet wat ze op dat moment voor werk deed. Ze had allerlei baantjes. Oma zorgde voor eten en ze deed af en toe een spelletje met ons. Verder waren David en ik op onszelf aangewezen. Vaak zaten we samen op de grond te spelen met oude poppen en autootjes en een oude platenspeler.'

'We konden best goed opschieten met oma. Maar er was geen echte huiselijke warmte. Eigenlijk was zij net als Monique. Alles moest gaan zoals zij het wilde. Ze had veel zussen en als zij met hen wilde kaarten, dan ging ze. Of wij er waren of niet. Soms gingen wij mee, maar dan mochten we niet storen tijdens het kaarten.'

'Met andere kinderen speelden we niet vaak. Bij oma in de buurt hadden we niet veel vrienden en op school werden we gepest. Omdat we nieuw waren en geen beste kleren droegen. Het was echt een rottijd. We misten papa en ons oude huis heel erg. Daar woonden we in een rustige buurt en hadden we een tuin en ieder een eigen kamer. En we hadden er vriendjes en vriendinnetjes.'

De kinderen zeiden dat ze weer bij hun vader wilden gaan wonen. Dat vond Monique prima, vertelt Esther. 'Achteraf hoorde ik dat ze tegen papa zei: "Jij neemt de kinderen maar, want ik wil ze niet meer. En verwacht niet dat ik een cent alimentatie betaal."' Hierdoor was Esther vreselijk geschokt. 'Een normale moeder doet toch alles om bij haar kinderen te blijven!?'

Vader wilde de kinderen wel. 'Oké,' zei hij. 'Maar dan wil ik ze zwart op wit.' In een contract werd vastgelegd dat Esther en David bij hun vader woonden en dat ze eens in de twee weken een weekend naar hun moeder zouden gaan. Esther: 'Dat was de officiële regeling volgens de rechter. Ik ben heel blij dat papa daarvoor heeft gezorgd. Anders had Monique ons op elk willekeurig moment weer mee kunnen nemen.'

'Maar ze bleef toch mijn moeder, dus ik miste haar wel. In zeker opzicht vond ik het leuk om naar haar toe te gaan. Ze gaf ons veel cadeautjes en we gingen vaak naar pretparken. Eigenlijk was ze een soort suikertante. Toch voelde ik me bij haar niet echt gelukkig. We hadden alleen oppervlakkige gesprekken en ik had niet het gevoel dat ik echt kon zeggen wat ik vond. Alles moest gaan zoals Monique het wilde. David en ik zeiden altijd ja en amen, omdat we dachten dat ze anders boos zou worden.'

'Op een gegeven moment vroeg ik me af of het tussen Monique en mij beter zou gaan als ik weer bij haar ging wonen. Misschien zou zij dan meer open zijn. En zou ik zelf dingen durven zeggen die ik anders niet zei. Ik raapte al mijn moed bij elkaar en vroeg wat Monique ervan zou vinden. Ze zei dat zij en haar vriend geen kamer voor mij hadden in hun appartement. En dat ik David en papa dan niet vaak meer zou zien. Eigenlijk probeerde ze te verdoezelen dat ze niet wilde dat ik bij haar kwam wonen. Dat was een klap voor me.'

Bovendien had Monique steeds minder vaak tijd. Esther: 'Op een gegeven moment gingen David en ik nog maar eens in de drie weken naar haar toe. Daarna werd het eens in de vier weken en ten slotte eens in de twee maanden. "Mama, maak alsjeblieft wat meer tijd, want ik wil je vaker zien," vroeg ik door de telefoon. Dat ging niet, zei ze, want ze moest werken. Een goede moeder zou proberen iets te regelen. Zij niet. Ik denk dat ze ons minder wilde zien omdat ze van ons af wilde.'

Sinds tweeëneenhalf jaar wil Esther zelf geen contact meer met Monique. 'Ik ben steeds meer te weten gekomen dat ze dingen deed die niet goed zijn. Ze ging vreemd toen ze nog met papa was getrouwd. Dat weet ik van oma. Er was een andere man in huis toen opa en oma een keer als verrassing op bezoek gingen. Oma heeft brieven van Monique die ze me nu nog niet wil laten lezen. Dat wil ik ook niet. Kennelijk staan er heel erge dingen in. Sommige informatie kun je iemand van vijftien jaar beter niet geven.'

Het zit Esther niet lekker dat Monique onlangs voor de tweede keer in een paar maanden onverwacht voor de deur stond.

'David en ik schrikken ons telkens kapot. Het gaat nu goed met ons en dat wil ik niet laten verstoren. Daarom heb ik Monique een zakelijk briefje geschreven. Ik wil met je praten over het verleden en over de toekomst. Zoals het nu gaat, is het niet fijn, niet voor jou en niet voor ons, schreef ik. Ik heb laten weten dat ik een paar dagen met school naar Londen ga en dat ik voor mijn examens geen tijd heb. Daarna kunnen we iets afspreken.'

Ze laat het kaartje zien dat Monique als antwoord heeft gestuurd. 'Het lijkt me een goed idee om samen te praten,' staat erop geschreven. 'Van de dagen die jij noemt, heeft mijn voorkeur woensdag 16 juni. Andere opties zijn woensdag 23, donderdag 24, zaterdag 26 juni. Kies jij een locatie en tijd, liever ruim buiten de files. Ik kijk erg uit naar ons gesprek, succes met je examens en veel plezier in Londen. Groet van Monique, ook aan David.'

Op de voorkant van de kaart staat een bos bloemen. 'Dat is een teken van verzoening,' weet Esther. 'Monique meent nog steeds dat ze het allemaal goed heeft gedaan. En nu denkt ze waarschijnlijk dat ik het contact wil vernieuwen. Nou, dat zal haar flink tegenvallen. Papa en mama denken dat ik niet tegen haar op kan en dat ik niks met het gesprek zal opschieten. Maar ik weet wat ik aan haar kwijt wil. Ze kan psychologische spelletjes proberen te spelen en ze kan gaan huilen als ze wil, maar daar trek ik me niks van aan. Ik zal strikt zakelijk zijn en geen emoties tonen.'

'Je komt er bij mij niet meer in, zal ik zeggen. Als je weer voor de deur staat, sla ik hem voor je neus dicht. Je hebt zoveel kansen gehad. Als je het echt wilde, had je die al lang gepakt. Je hebt me zoveel pijn gedaan. Dat valt niet meer goed te maken. Het enige dat ik nu van je verlang, is dat je mij mijn zegje laat doen en dat je daarna verdwijnt. Ik wil het gevoel hebben dat je niet meer bestaat. Mijn allerliefste wens is dat jij dood bent. Dan ben ik in één keer van jou en al mijn problemen af. Punt. Als ik dat allemaal recht in haar gezicht heb gezegd, is het, denk ik, echt afgesloten. Dan kan ik verder gaan met mijn leven.'

KINDEREN HOEVEN NIET TE WETEN WAAROM HUN OUDERS SCHEIDEN

Hoi, ik ben Amina. Ik ben net 14 geworden en een beetje koppig. Dat komt waarschijnlijk door de puberteit. Ik merk dat ik meer over dingen nadenk. Vroeger durfde ik niet veel te zeggen tegen papa. Of tegen Pietje, de vriend van mama. Dat is nu anders. Pietje vindt het niet leuk dat ik het niet altijd met hem eens ben. Maar ik vind dat ik oud genoeg ben om een eigen mening te hebben. En oud genoeg om zelf mijn verhaal te vertellen.

Laat ik vooraan beginnen. Toen papa nog hier woonde, lag hij vaak languit op de bank voor de televisie. Meestal kwam mama mijn zus Phaedra en mij halen bij de oppasmoeder. 'Je vader is al een paar uur thuis van zijn werk, maar hij had geen zin om jullie te komen halen,' zei ze. Papa was lui. Hij deed bijna niks in het huishouden.

Negen jaar geleden zijn we in dit grote huis komen wonen. Toen is er iets veranderd tussen papa en mama. Mama heeft de grond van haar vader cadeau gekregen en zij heeft het meest aan het huis betaald. Papa voelde zich hier niet meer op zijn gemak, denk ik. Omdat mama deed alsof het huis meer van haar was.

'We gaan naar je moeders "fancy" villa,' zegt papa wel eens. Het lijkt of hij jaloers is. Misschien omdat het huis van zijn vriendin Alinda veel kleiner en ouder is. 'Dit is mijn huis dat ik helemaal zelf heb betaald,' zegt Alinda soms. Alsof ze wil zeggen: ik had er de hulp van mijn ouders niet bij nodig. Maar mama haar ouders hebben dit huis niet gekocht! Papa en mama zijn samen naar de architect gegaan en hebben samen de plannen gemaakt. Opa heeft alleen de grond gegeven. Niemand zou dat weigeren, denk ik.

Nou ja, ik bemoei me er niet mee. In elk geval heb ik vroeger niet gemerkt dat papa en mama vaak ruzie maakten. Het was hier gewoon zoals in andere gezinnen, dacht ik. Daarom begreep ik er niks van toen ze Phaedra en mij bij zich riepen en vertelden dat ze gingen scheiden. Ik was toen acht jaar. 'Scheiden?' dacht ik. 'Wat is dat? Wat bedoelen ze daarmee?'

Mama probeerde heel voorzichtig uit te leggen dat papa ergens anders ging wonen en dat wij hier bleven. Ze zei dat ze uit elkaar gingen omdat ze veel ruzie maakten en het niet meer goed ging tussen hen. 'Zullen we papa nooit meer zien?' vroeg ik me af. Ik zei het niet hardop, omdat ik bang was voor het antwoord.

Phaedra en ik kropen bij papa en mama op schoot. 'Kunnen jullie niet proberen om toch bij elkaar te blijven?' vroegen we. 'Jullie hebben het niet gemerkt, maar dat hebben we al vaak geprobeerd,' vertelde mama. 'Het is niet gelukt en nu geven we het allebei op.' Phaedra huilde. Ikzelf heb, geloof ik alleen gehuild op mijn kamer, als er niemand bij was. Ik was bang dat papa en mama kwaad zouden reageren als ze me zagen huilen. Omdat ik dacht dat het onze schuld was. Ze hadden immers discussies gehad over wie ons moest halen op school of bij de oppasmoeder.

Ik weet nog goed dat ik een paar jaar daarna ruzie had met mama. 'Het is door ons, hè, dat jullie gescheiden zijn!' riep ik. Dat was niet waar, heeft mama toen heel duidelijk gezegd. Eerst dacht ik dat ze me alleen wilde kalmeren. Maar inmiddels geloof ik toch echt dat wij er niks aan kunnen doen dat papa en mama uit elkaar zijn gegroeid.

Ik vroeg hoe het kwam dat Phaedra en ik niets van de ruzies hadden gemerkt. Mama vertelde dat wij dan sliepen, of niet thuis waren. Aan de ene kant ben ik daar blij om. Aan de andere kant zou ik dan misschien wel weten waarom ze precies gescheiden zijn.

Een tijdje terug heb ik aan Alinda gevraagd of zij weet waarom papa en mama gescheiden zijn. 'Kinderen hoeven niet te weten waarom hun ouders scheiden. Ouders kunnen wel vertellen hoe het een beetje is gegaan, maar de echte reden zullen ze nooit helemaal zeggen,' zei Alinda.

Ik heb het ook wel eens aan mama zelf gevraagd. Ze gaf nooit echt duidelijk antwoord. Waarschijnlijk vindt ze dat de exacte reden iets tussen haar en papa is. Dat kan ik eigenlijk wel begrijpen. Andere kinderen aan wie ik vroeg waarom hun ouders zijn gescheiden, zeiden allemaal dat ze wel een paar redenen wisten, maar waarschijnlijk niet de echte.

Dat wij om het weekend naar papa zouden gaan, wist ik in het begin ook niet. Phaedra en ik wilden graag weten waar hij ging wonen. We zijn meegegaan toen hij een huis ging huren. Maar toen hij ons de eerste keer op vrijdagmiddag

Amina (tweede van links) met haar zus Phaedra, haar vader en zijn vriendin Alinda.

kwam halen, begrepen we niet waarom we mee moesten. 'Nu gaan jullie een weekend naar papa en zondagavond brengt hij jullie weer terug,' zei mama. 'Dan zijn jullie twee weken bij mij en het weekend daarna gaan jullie weer naar papa.' Elke keer als papa ons kwam halen, begonnen we het beter te snappen.

Hij had een leuk huis en hij kocht een stapelbed voor ons. Omdat we graag wilden kletsen, kroop ik met mijn dekbed bij Phaedra. Zo vielen we altijd samen in het bovenste bed in slaap. Oma kwam in die tijd vaak op bezoek. Ze is een bezorgd type. 'Och, mijn jongen zit daar nu helemaal alleen,' dacht ze waarschijnlijk. 'Dat kun jij niet, laat mij dat maar doen,' zei ze als hij eten kookte. Ze deed ook vaak zijn was.

'Kom mee, dan zal ik jullie mijn nieuwe vriendin eens laten zien,' zei papa toen we een keer bij oma op bezoek waren. Alinda woont tegenover oma. Eerst dachten Phaedra en ik dat ze een gewone vriendin was, maar ze kwam ook bij papa thuis en bleef mee-eten. 'Is dat onze nieuwe mama?' vroegen wij. 'Nee, maar ze is wel mijn nieuwe vrouw,' zei papa. In het begin snapte ik dat niet, maar later begreep ik dat mama onze moeder blijft en dat papa een andere vrouw kan hebben die niet onze mama is. 'Is dat niet een beetje snel na de scheiding?' vroeg ik me af. Maar ik zei niks. Ik durfde toen niet veel tegen papa te zeggen, omdat hij snel kwaad werd.

We zagen Alinda trouwens niet vaak. We vroegen waarom ze bijna nooit kwam. 'Ze heeft huisdieren die op tijd eten moeten krijgen,' zei papa. Een flauw excuus. Ik denk dat Alinda niet bij Phaedra en mij wilde zijn. 'Ik heb wel voor jullie papa gekozen, maar niet voor jullie,' zei ze. Dat vond ik niet zo mooi van haar. Ze wist dat papa twee kinderen had, dus ik vond dat ze daar rekening mee moest houden.

Nu begrijp ik wel waarom Alinda het moeilijk vond om met ons om te gaan. Nog niet zo lang geleden heeft ze verteld dat ze ooit een miskraam had. Daarna heeft ze nooit meer kinderen kunnen krijgen en dat vindt ze nog steeds erg. Haar vorige man was ook gescheiden en had al twee kinderen. Toen de relatie met die man misliep, heeft ze die kinderen nooit meer gezien.

Phaedra en ik vonden het niet erg dat Alinda er meestal niet was als wij bij papa waren. We mochten namelijk niks van haar. Papa vond het goed als wij televisie keken of aan de computer zaten, maar Alinda niet. 'Dat is voor luierikken en mensen die niks te doen hebben,' zei ze. Een gezelschapsspelletje vond ze ook iets voor mensen die zich vervelen. Als Alinda er was moesten we de hele tijd met haar en papa aan tafel zitten. Dan waren zij aan het praten en zaten wij te luisteren.

Meestal waren we alleen met papa in het weekend. Daardoor leerden wij hem beter kennen. Dat was leuk. We gingen bijvoorbeeld met hem in trapautootjes. Dat zouden we niet doen als Alinda erbij was, want zij vindt dat niet leuk. Wat Phaedra en ik niet zo leuk vonden, was dat papa vaak zei dat hij booschappen ging doen en ons uren alleen liet. Wij dachten dat hij dan bij Alinda was. Soms verraadden ze zichzelf. 'Ik ben gisteren met jullie vader ergens heen geweest,' zei Alinda een keer. Terwijl hij had gezegd dat hij naar de winkel was.

Mama vond het niet goed als papa ons alleen liet. Ze gaf ons een gsm zodat we haar konden bellen. Dan belde zij daarna met papa om te zeggen dat hij ons naar huis moest brengen. De gsm verstopten we in ons dekbed. Als we papa's telefoon zouden gebruiken, kon hij daarop zien dat wij mama hadden gebeld en dan zou hij heel kwaad worden. Hij vindt dat we mama niet moeten bellen als we bij hem zijn, omdat we ook niet naar hem bellen als we bij mama zijn.

Waarom papa tegen ons loog, weet ik niet precies. Misschien was hij bang dat we mee zouden willen als hij zei dat hij naar Alinda ging. 'Als hij niet eerlijk tegen ons kan zijn, zullen wij hem ook eens een leugentje vertellen,' dachten Phaedra en ik. We gingen bij een kapelletje aan het eind van de straat zitten, terwijl we gezegd hadden dat we in de tuin gingen spelen. Eigenlijk heeft papa ons toen niet echt gemist, want hij kwam ons pas twee uur later zoeken. Hij werd wel heel kwaad. Of hij begreep dat wij hem terug wilden pakken, weet ik niet. In elk geval mochten we daarna vaker mee naar Alinda. Dat was toch beter dan alleen blijven.

Bij mama was het in het begin ook best moeilijk. We waren gewend dat we thuis met zijn vieren waren. En ineens waren we nog maar met zijn drieën. Dat was raar. Als mama aan mij vroeg of ik de tafel wilde dekken, dekte ik soms per ongeluk voor vier. Voortaan ging ik op papa's plaats zitten, tegenover mama. Anders zaten Phaedra en ik tegenover elkaar en mama alleen.

We merkten dat mama het moeilijker had, omdat ze nu echt alles alleen moest doen. Daardoor was ze meer gestrest en werd ze sneller kwaad. Als we onze kleren vies maakten, bijvoorbeeld.

Phaedra en ik waren in die tijd veel bij opa en oma. Mama is secretaresse en ze moet vaak op vergaderingen zijn. Als we na school niet naar de oppas gingen, kwam opa ons halen. Hij belde naar de directrice en die kwam het in de klas aan ons vertellen. 'Joepie, we gaan naar opa en oma,' dacht ik dan.

Phaedra maakte met opa haar huiswerk en ik met oma. Als we daarmee klaar waren, begon oma aan het eten en deed opa met ons nog iets leuks. Hij legde van alles uit over zijn grote tuin en we keken vaak naar kinderprogramma's op televisie. Daarna aten we samen. Oma kan lekker koken en het was heel gezellig. We waren een paar keer in de week bij hen.

Mama bleef drie jaar alleen. Op een keer zei ze dat er 's avonds een man op bezoek zou komen. Ze sprak bijna nooit met iemand af, dus wij waren benieuwd wie het zou zijn. Phaedra en ik keken stiekem vanaf de trap. Eerst zat mama gewoon met hem te praten. De tweede of derde keer dat hij er was, zagen we dat ze kusten.

De volgende dag vertelden we op school tegen onze vriendinnen dat mama eindelijk een vriend had. Wij vonden dat fijn voor haar, want ze zat 's avonds altijd alleen. 'Proficiat met uw nieuwe vriend,' zei een van onze vriendinnen, toen mama ons die middag kwam halen. 'Hoe weet zij dat?' vroeg mama. Toen vertelden wij dat we haar zagen kussen. Dat vond ze wel grappig.

Wij vonden Pieter meteen leuk. Hij maakte veel grapjes en

hij schommelde met ons in de tuin. We hadden een boekje van Pietje Puk en we vroegen of we hem zo mochten noemen. Dat vond hij goed. Hij dacht dat we daar toch snel genoeg van zouden hebben. Puk lieten we inderdaad vallen, maar we bleven wel Pietje zeggen.

Een paar maanden later zat mama te huilen aan de keukentafel. Ze vertelde dat het uit was met Pieter. Phaedra en ik vroegen waarom, maar dat wilde ze niet zeggen. Ze bleef dagen kwaad en verdrietig. We probeerden haar te troosten en zeiden dat het wel goed zou komen met Pietje, maar zij dacht van niet. Ze ging steeds vreemder doen en begon zelfs met borden te smijten. Soms was het zo erg dat wij bang waren dat ze zichzelf van kant zou maken.

Daarom belden we dikwijls naar opa en oma. Als we nummertje drie op de telefoon indrukten, kregen we hen automisch aan de lijn. Opa kwam vaak. Hij praatte met mama terwijl wij televisie keken. Als wij moesten gaan slapen, gaven we mama een nachtzoentje. Daarna kwam opa ons onderstoppen en een verhaaltje voorlezen.

We bleven ongerust. 's Avonds gingen Phaedra en ik om de beurt uit bed om beneden te kijken of alles nog oké was met mama. Dan gebruikten we een flauw excuus. 'Ik kom eens kijken of de deuren wel op slot zijn,' bijvoorbeeld.

We belden ook naar Pietje. 'Als er iets is, bel mij dan,' had hij tegen Phaedra en mij gezegd. Hij kwam vaak om mama te kalmeren. Zo zijn ze na een aantal weken gelukkig toch weer bij elkaar gekomen.

Rond diezelfde tijd ging papa bij Alinda wonen. Phaedra en ik moesten ons helemaal aanpassen aan haar regels. Dat was niet makkelijk. We hebben een paar keer gevraagd of we ons lievelingsprogramma op vrijdagavond mochten zien, maar dat vond Alinda niet goed. 'Als je televisie wilt kijken, ga je maar terug naar huis,' zei ze. Toen durfden wij niks meer te zeggen.

Papa reageerde ook niet. Ik denk dat hij Alinda niet tegen durft te spreken, omdat ze dan kwaad wordt. Hij heeft een keer gezegd dat ze een blaaskaak is, omdat ze vaak opschept dat haar moeder van adel is. Daar is ze nu nog steeds kwaad over.

Alinda vindt dat we stinken als we van thuis komen, omdat mama rookt. Daarom moeten we altijd eerst douchen. En daarvoor bij oma aan de overkant schone kleren halen. Alinda heeft geen ruimte voor nog een klerenkast, zegt ze.

Heel soms komt Alinda ons mee bij mama halen. In de auto maakt ze dan een heel drama. 'Stop, ik stap uit! Het stinkt hier te veel naar sigarettenrook,' zegt ze. Het raam moet dan helemaal open, of het nu winter is of niet. Ik kan me best voorstellen dat ze het niet fijn vindt als het stinkt, maar ze moet er niet zo flauw over doen. Ze heeft tenslotte zelf gerookt. Papa ook. Hij is eigenlijk voor haar gestopt.

Papa is veranderd. Hij heeft zich helemaal aangepast aan Alinda. Hij kookt en helpt mee in de tuin. Alinda heeft veel last van haar rug, daarom is hij dat gaan doen, denk ik. Ik vraag me af waarom hij vroeger bij ons altijd voor de televisie hing. Nu vindt hij het een ramp als wij een keer tv willen kijken. Ik weet niet of hij en Alinda kijken als wij er niet zijn. Het lijkt me wel gek dat je twee tv's hebt als je ze nooit gebruikt.

Soms luister ik stiekem als ik ze in de douche tegen elkaar hoor praten. Ik vind het niet leuk als ze het over ons hebben. 'Ze zijn een gezelschapsspelletje aan het doen, dus ze vervelen zich weer,' hoorde ik Alinda zeggen. Tja, wat zouden wij anders moeten doen? We namen wel eens iets mee om te knutselen, maar dan was papa niet tevreden omdat we te veel rommel maakten.

Alinda decoreert graag bloemstukken en ze wilde dat wij dat ook deden. We moesten buiten mee takjes gaan zoeken. Dat vonden wij wel een keer leuk, maar niet telkens weer. Wij wilden graag gaan spelen bij ons nichtje dat naast oma woont, maar dat mocht niet, omdat Alinda en papa ruzie hadden met mijn tante. 'Jullie zijn nu bij ons en dan moet je niet steeds daar zijn,' zei papa.

Wij zien papa wel graag, maar wij wilden liever hier blijven en bij vrienden spelen dan ons een heel weekend vervelen. 'Kun je hem niet bellen en zeggen dat we niet komen?' vroegen we vaak aan mama. 'Je moet gaan,' zei ze. 'Het is je papa en je moet hem blijven zien.' Tegen papa hebben we nooit durven zeggen dat we niet wilden komen. Misschien zou hij dan denken dat mama ons tegen hem opstookte.

Toch merkte hij het. Op een warme dag toen hij nog niet zo lang bij Alinda woonde, zei hij iets vreselijks tegen mij. We zaten in de tuin en Phaedra en ik hadden niks te doen. Lezen ging niet omdat de zon erg fel was. En we mochten niet naar binnen omdat het zomer was. Papa werd kwaad. 'Je bent je

Amina (rechts) met haar zus Phaedra, haar moeder en haar vriend Pieter.

weer aan het vervelen, hè,' riep hij. 'Ik merk wel dat jullie hier niet graag zijn. Als je je leven beu bent, hang jezelf dan op!'

Ik huilde en zei dat ik naar binnen ging om iets te halen om ons bezig te houden. Eigenlijk ging ik mijn gsm pakken om mama te bellen. Papa vond dat ik lang wegbleef en ging me zoeken. Toen heeft hij me betrapt met de gsm. Hij werd heel kwaad. Hij zei dat we onze tas moesten pakken en dat hij ons naar huis zou brengen. We hebben de hele autorit niks tegen elkaar gezegd. Toen we hier aankwamen, zei hij tegen mama: 'Ik begrijp wel dat ze bij ons niks kunnen doen, maar ze moeten toch proberen zich bezig te houden.' Daarna zijn papa en mama een hele tijd kwaad op elkaar geweest.

In die tijd merkten mijn vriendinnen dat ik het moeilijk had, omdat ik slechtgehumeurd was. Ik vertelde dat het niet fijn was bij papa en zijn vriendin en dat het uit was met mama en haar vriend. Twee van mijn vriendinnen hebben ook gescheiden ouders. Met hen praatte ik er wel eens over. De rest probeerde zich er ook iets bij voor te stellen. Maar meestal hadden we het over leukere onderwerpen. Mijn vriendinnen probeerden mij op te beuren door leuke dingen met me te doen.

'We gaan naar een mevrouw met wie je kunt praten,' zei mama toen het weer goed was tussen haar en Pietje. Misschien helpt dat, dacht ik. Die mevrouw vroeg altijd hoe de voorbije weekenden bij papa waren geweest. Telkens als ik zei dat ik iets niet leuk vond, vroeg ze of ik dat ook tegen papa had gezegd. Ze vroeg of zij een keer met papa moest praten. Dat leek mij fijn, omdat ik het zelf niet durfde. Toen heeft zij papa gebeld en gevraagd of hij met haar wilde komen praten. Ze zei dat mama en ik er niks van wisten, zodat hij niet kwaad op ons zou worden.

Ik weet niet zeker of Alinda ook met die mevrouw heeft gepraat. 'Ik heb geen psycholoog nodig. Jij misschien wel, maar ik hoef daar niet naartoe,' zei ze tegen mij. Ze had het gevoel dat ze zich bij die psycholoog moest verantwoorden, denk ik. 'Niemand heeft jou toch gevraagd om mee te gaan?' dacht ik bij mezelf.

Nu weet ik dat het veel geholpen heeft dat we bij die mevrouw zijn geweest. Vroeger moesten we in het weekend doen wat Alinda en papa wilden. Toen gingen we vaak naar meubelbeurzen, of Phaedra en ik dat nu leuk vonden of niet. Nu mogen wij mee kiezen. We gaan wel eens naar zee, of naar een huisje in de Ardennen.

Ondertussen hebben papa en Alinda geen ruzie meer met mijn tante, daarom mogen we nu met ons nichtje spelen. En als zij het nieuws willen zien, mogen wij meekijken. Dat is toch al iets. Papa heeft zijn excuses gemaakt voor wat hij toen in de tuin tegen mij zei. Hij heeft daar spijt van, zei hij. Ook daardoor gaat het beter tussen ons.

Phaedra en ik vinden het nu leuker om met Alinda en papa aan tafel te praten. Omdat we al iets ouder zijn, kunnen we dat beter. Alinda wil het over van alles hebben. Ze vraagt altijd hoe het op school is en hoe het met onze vriendinnen gaat. Als we ruzie hebben met een vriendin, dan kunnen we daar met Alinda over praten. Zij denkt mee over een oplossing.

Eigenlijk kunnen we nu beter met haar praten dan met mama. Mama kan niet zo goed luisteren. Als we haar een probleem vertellen, zegt ze altijd dat het wel goed zal komen. Het lijkt of ze zich er vanaf probeert te maken. Mama is meer met andere dingen bezig. Vooral met Pietje als hij thuis is.

We moesten eraan wennen dat Pietje bij ons kwam wonen. Wij waren drie jaar met mama alleen geweest en ineens moest ze tijd maken voor hem. Daar heb ik niks van gezegd, hoor. Ze was juist zo gelukkig. En een man in huis voelde wel veiliger voor als er inbrekers zouden komen.

In het begin was het raar om te zien dat er een meneer uit mama's kamer kwam. Phaedra en ik sliepen niet vaak meer bij haar in bed. Alleen als het onweerde, kropen wij tussen hen in. Dat vonden ze niet zo fijn, denk ik, omdat ze dan niet dicht bij elkaar konden liggen.

Eerst bepaalde mama wat hier in huis gebeurde. Nu speelt Pietje ook mee de baas. Vroeger mochten we altijd laat opblijven tijdens vakanties, terwijl we nu soms om halftien moeten gaan slapen. Mama zegt dan dat we naar bed moeten, maar ik weet niet of ze dat zelf beslist. Misschien stelt Pietje het voor. Vroeger konden we mama wel ompraten, maar nu steekt Pietje daar een stokje voor. 'Je hebt je mama gehoord, je moet nu gaan slapen,' zegt hij dan. Meestal probeer ik iets aan mama te vragen als Pietje er niet bij is, want dan zegt ze makkelijker ja.

Ik heb al dikwijls tegen haar gezegd dat ze te veel naar Pietje luistert. Dan wordt ze kwaad en zegt dat het niet waar is. 'Jij hebt altijd commentaar op Pietje. Wil je dat ik hem aan de deur zet?' vroeg ze een keer. Dat is nu ook weer niet mijn bedoeling. Ik hoop niet dat ze uit elkaar gaan, want over tien jaar zijn Phaedra en ik allebei uit huis en dan zou mama hier helemaal alleen zitten.

In het begin kon ik beter met Pietje opschieten dan nu. Toen was ik nog kind en speelde ik veel met hem. Nu krijgen we discussies over de kleinste dingen. Kort geleden bijvoorbeeld nog over onze fietslampjes. Omdat die altijd kapot waren, kregen we losse lampjes. Pietje heeft duidelijk gezegd dat we die niet op de fiets moeten laten zitten. Dat deden wij ook niet, maar hij geloofde dat niet. Ik probeerde uit te leggen dat wij onze fietsen met de lampjes klaarzetten voor de volgende ochtend, maar hij wilde niet luisteren.

Hij heeft ook een verkeerd beeld van hoe wij ons bij papa gedragen. Hij zegt dat we bij papa veel vriendelijker zijn. Dat is niet waar. Pietje kan er gewoon niet tegen als ik het niet met hem eens ben. Dan vindt hij me onbeleefd. Hij kan er moeilijk mee omgaan dat ik in de puberteit ben. Omdat hij zelf geen kinderen heeft, denk ik.

Papa kan tenminste zijn ongelijk onder ogen zien. Vroeger durfde ik niet tegen hem in te gaan, maar Alinda zei dat we het moeten zeggen als we ergens niet mee akkoord gaan. Ook daardoor kunnen wij nu steeds beter met hen omgaan. Papa en Alinda willen nu graag dat wij onze mening geven, terwijl we hier thuis niet altijd mogen zeggen wat we denken. In het begin vond ik dat best lastig.

Eigenlijk heb ik twee levens in twee werelden die niets met elkaar te maken willen hebben. Als Alinda ons mee komt halen, blijft ze altijd in de auto zitten. In de zes jaar dat ze nu bij papa is, heb ik haar één keer met mama zien praten. Dat was bij een dansvoorstelling van Phaedra. Familie moest daarvoor plaatsen reserveren. Ik zat tussen papa en mama in. Waarschijnlijk wilden ze liever niet naast elkaar zitten. Mama en Alinda hebben ongeveer tien minuutjes met elkaar gepraat. Over hoe Phaedra en ik het deden op school. Ik vond het goed dat ze met elkaar spraken. Maar dat was de enige keer voor zover ik weet.

Pietje en papa hebben volgens mij nog nooit met elkaar gesproken. Dat hoeft van mij niet, maar ik vind wel dat Pietje zich raar gedraagt als papa ons thuisbrengt en mama er niet is. Dan doet hij de deur open en steekt de mat ertussen, zodat wij erin kunnen. Zelf gaat hij meteen weer naar binnen. Flauw hoor. Hij kan toch best aan de deur blijven staan.

Een aantal familieleden doet ook raar. Mama was de eerste in de familie die ging scheiden. Opa begreep het wel, want hij wist dat mama en papa veel ruzie maakten. 'Het is tegen de principes van onze familie, maar misschien is het beter,' zei hij. Mijn overgrootoma vond het een schande. Zij was erg katholiek. Ze is ondertussen overleden, maar er zijn nog steeds familieleden die op feesten niet veel met ons praten.

De ouders van papa hebben het er ook nog altijd moeilijk

mee. Als we bij hen zijn, mogen we niks over mama zeggen. Het lijkt of ze haar een monster vinden. Ik snap niet waarom ze zo kwaad zijn op mama, maar niet op papa. Ik heb het nooit gevraagd, want dat zou het waarschijnlijk nog erger maken. Een keer moesten Phaedra en ik bij opa en oma gaan slapen. Toen vroeg oma aan ons of mama ons bij de buren kon afzetten. Dat vond ik echt belachelijk. Net of oma nog steeds niet onder ogen wil zien dat papa en mama gescheiden zijn.

Zelf vind ik het niet vreemd meer dat papa en mama gescheiden zijn. Voor mij is dat nu heel gewoon. Wat ik wel vervelend vind, is dat mama in haar eentje bepaalt wanneer wij naar papa moeten gaan. Aan het begin van het jaar maakt ze een hele lijst met data. Ze zet erbij dat papa ons om zes uur moet komen halen en om zes uur weer thuis moet brengen. Daar moet hij zijn handtekening onder zetten.

Als papa en Alinda weg moeten in het weekend dat wij bij hen zouden komen, belt hij op om te vragen of we toch bij mama kunnen blijven. Als het echt niet anders kan, zegt mama tegen hem dat het goed is. Tegen ons doet ze dan vervelend. 'Papa gaat met zijn madam op stap,' zegt ze. Op een manier alsof hij de bloemetjes gaat buitenzetten en Phaedra en mij niet wil zien. Dat is niet waar, denk ik.

Als papa het op tijd laat weten, vindt mama het niet erg als we later thuiskomen dan zes uur. Maar toen hij ons een keer om drie uur terugbracht, werd ze boos omdat dat niet volgens de afspraak was. 'Twaalf dagen zijn jullie hier en twee dagen wil ik wel eens alleen zijn met Pietje,' zei ze. Daardoor lijkt het of ze soms even van ons af wil zijn. Ik weet niet of dat echt zo is, hoor. Misschien ga ik dat de volgende keer vragen als ze weer boos wordt als we te vroeg thuis zijn.

Papa zou het goedvinden als wij hier op zaterdagavond met vriendinnen naar de bioscoop gaan, zegt hij. Hij wil ons wel brengen, maar dat is een halfuur rijden. Dan is het makkelijker als we de rest van het weekend bij mama blijven en het weekend daarna nog een dagje naar papa gaan. Alinda vindt dat Phaedra en ik dat tegen mama moeten zeggen. Ik vind juist dat papa dat moet doen, maar hij durft het niet goed omdat het niet in mama's schema past, denk ik.

Papa moet zich niet de les laten lezen, vind ik. En mama moet niet zo de baas spelen. Phaedra en ik hebben helemaal niks te zeggen over wanneer we naar papa gaan. Om het jaar moeten we verplicht met kerst hier zijn en met nieuwjaar bij papa. Ik vier nieuwjaar liever altijd hier. Omdat we dan aftellen en naar het vuurwerk kijken. Ik denk dat mama ons pas laat kiezen als we achttien zijn. Maar ik vind dat ik nu toch wel oud genoeg ben om mee te overleggen.

ESTHER VERTELT: 'MISSCHIEN MOET IK ZELFMOORD PLEGEN'

Toen haar vader opnieuw trouwde, was Esther blij. Ze ziet zijn nieuwe vrouw nu als haar moeder en noemt haar mama. Dat betekent niet dat het altijd goed gaat tussen hen. Kort geleden hebben ze fikse ruzie gehad, vertelt Esther.

'Het begon doordat een collega van mijn bijbaantje vroeg of ik zijn dienst kon overnemen. Ik zei dat ik best extra wil werken in mijn schoolvakantie, maar niet vier dagen achter elkaar. Als serveerster loop ik de benen onder mijn lijf uit en de volgende dag ben ik erg moe. Papa en mama vonden het slap van me. Ze zeiden dat ik kon uitslapen in de vakantie. Dat is niet waar, want ik moet altijd om negen uur opstaan van mama, omdat zij niet van uitslapen houdt. Zo kregen we ruzie.'

Esther had juist haar eindexamen gehaald en het was een paar dagen voor de diploma-uitreiking. 'Vanwege de ruzie wilde ik liever niet dat mama en papa daar bij zouden zijn. Ze zouden de sfeer verpesten met hun zure gezichten. Dat durfde ik niet te zeggen, daarom ging ik tijdens de uitreiking bij mijn vriendinnen en hun ouders zitten. Papa en mama zaten een paar rijen achter ons. Ik deed gewoon heel vrolijk. De buitenwereld hoefde niet te weten dat wij ruzie hadden. Dat zou de diploma-uitreiking ook voor mijn vriendinnen verpesten.'

'Zo gaat het niet langer,' zei mama toen we thuiskwamen. Zij kan er niet tegen als ik toneelspeel. Ik heb haar uitgelegd waarom ik dat soms doe. Het geeft mij de mogelijkheid om mijn sores even te vergeten en me te concentreren op een leuke tijd met mijn vriendinnen. Mama begreep dat niet. "Wij zijn zo verschillend, zei ze. Iedere keer als ik dichterbij probeer te komen, geef je me een trap."'

Het is namelijk niet hun eerste ruzie, vertelt Esther. 'Het is al zeven jaar zo. Sinds we bij elkaar wonen, zijn er steeds periodes van rust en dan weer een uitbarsting van ruzie. Toen ik een stiefmoeder kreeg, had ik het gevoel dat zij niet op die plek hoorde. Aan de ene kant wilde ik me aan haar binden. Aan de andere kant leek het of ik dan mijn echte moeder Monique verraadde. Aan de ene kant hoorde ik slechte dingen over Monique en aan de andere kant slechte dingen over mijn vader en nieuwe moeder. Ik zat er tussenin en werd heen en weer geslingerd tussen twee delen van mezelf. Daardoor raakte ik erg in de war. Eens in de zoveel tijd had ik een soort negatieve stemming. Dan zocht ik ruzie en schopte ik de band die we hadden opgebouwd weer kapot.'

Haar stiefmoeder stelde voor om naar een psycholoog te gaan. Esther: 'Dat vond ik eng. Maar mama dacht dat ik bij hem over dingen kon praten die ik bij haar en papa niet kwijt kon. "Hij is professioneel en misschien kan hij je beter helpen dan wij," zei ze. Daarom leek het me toch wel een goed idee. Gelukkig voelde ik me meteen thuis bij die man. Tegen hem durfde ik te vertellen dat ik mijn nieuwe moeder af en toe wel achter het behang kon plakken. Dat ik dacht: "Waarom is papa in godsnaam met die vrouw getrouwd?" Tegen Monique zei ik soms vervelende dingen over mama, en dan had ik het gevoel dat ik iets heel ergs had gedaan.'

Esther vond het fijn om er met de psycholoog over te praten. Hij vertelde dat haar reacties heel normaal waren. Dat hielp een beetje, maar het maakte geen einde aan de ruzies. 'Een keer toen we heel erge ruzie hadden, ben ik weggelopen. Ik pakte een tas met kleren, slaapspullen en geld. "Wat ga je doen?" vroegen mijn vader en moeder. "Ik ga weg," zei ik. "Hoe kom je dan aan eten en waar ga je slapen?" vroegen ze. "Dat zie ik wel," zei ik. Ze konden me niet ompraten, dus toen lieten ze me maar gaan.'

'Eerst ging ik naar mijn beste vriendin. Haar moeder deed de deur open. "Ik kom Nienke vaarwel zeggen," zei ik huilend. Haar moeder vroeg of ik even binnenkwam. Toen legde ik uit dat ik was weggelopen. Mijn vriendin zei niks. Die was erg geschrokken. Haar moeder zei: "Jij blijft vannacht hier en ik bel met je ouders." "Ik wil ze niet aan de telefoon," riep ik. "Ik haat ze!"'

'De volgende ochtend ging ik weer naar huis. Mama was kwaad. "Dit doe jij nooit meer," zei ze. Weet je hoeveel pijn je je vader hebt gedaan! Daar schrok ik van. Ik was egoïstisch geweest en dacht alleen aan mezelf. Waarschijnlijk omdat ik bang was dat ik papa en mama ook zou verliezen, net zoals Monique.'

'Mama stuurde me naar mijn kamer. Op een gegeven moment kwam papa. "Waarom heb je dit gedaan?" vroeg hij. "Sorry, sorry, sorry," zei ik. "Ik hou van je en het spijt me echt heel erg." Daarna ben ik nooit meer weggelopen.'

Er waren momenten dat Esther geen oplossing meer zag voor haar problemen. 'Ik had zoveel emotionele pijn. En ik was zó in de war, dat ik er helemaal gek van werd. Hele nachten huilde ik. Als papa en mama me hoorden, kwamen ze naar me toe. Dan kroop ik heel dicht tegen ze aan en huilde. Ik kon niet zeggen wat er was. Het was een soort zwarte put. Toen ik er nog middenin zat, wist ik niet precies waar dat verdriet vandaan kwam.'

'Misschien moet ik zelfmoord plegen, schreef ik in mijn dagboek. Dat leek me ook beter voor het gezin, omdat ik telkens ruzie veroorzaakte. Misschien ben ik een slecht persoon, dacht ik. Op een gegeven moment zag ik geen uitweg meer. Hier kom ik nooit meer uit, dacht ik. Ik heb een paar keer een mes uit de keukenlade gepakt.'

Over deze gevoelens praatte ze met niemand. 'Ik wilde niet aan de buitenwereld laten merken dat het slecht met me ging. Mensen zouden denken dat ik gek was. Mijn beste vriendin wist wel een beetje van de problemen, maar lang niet alles.'

Haar vader en moeder vonden haar dagboek en lazen haar gedachten. 'Dat was een schok voor ze. Ik zag papa's hand telkens over zijn gezicht gaan. Hij wist niet wat hij ermee aan moest. Mama kon er iets beter mee omgaan. "In mijn vorige huwelijk wenste ik soms ook dat ik dood was," zei ze. Maar ik moest in leven blijven, omdat ik wist dat er anders niks van mijn kinderen terecht zou komen. Dus haar moederinstinct weerhield haar. Wat mij tegenhield weet ik niet precies, maar nu ben ik blij dat ik geen zelfmoord heb gepleegd. Dan was ik doodgegaan met het gevoel dat ik geen leven had gehad. Nu heb ik wel heel gelukkige momenten mee mogen maken.'

Toch is ze op dit moment vreselijk verdrietig. Dat komt door de laatste ruzie met haar stiefmoeder. Ze is bang dat hun relatie nu helemaal is verpest. 'Mama zei dat ze het niet meer kan opbrengen om een emotionele band met mij te hebben. Ze zei: "je kunt hoog en laag springen, maar ik kom niet meer dichter bij jou, want je wilt me toch niet accepteren."'

'Op dat moment haatte ik haar. En papa ook. "Van mij is Esther alleen maar bang," zei hij. Hij had gevraagd waarom ik sommige dingen van hem wel accepteerde en van mama niet. Omdat kinderen bang zijn van hun biologische ouders als die kwaad zijn, zei ik. Nou, dat snapte hij dus niet.'

Esther huilt. 'Mama zei dat ze me zal blijven verzorgen. Dat er dus eigenlijk niks verandert. Maar daarin vergist ze zich. Als ik zie hoe ze omgaat met mijn zus en mijn twee broers, zie ik een warmte die ik ook wil. Maar die kan ik niet krijgen. Het voelt alsof ik geen moeder heb. Ik heb een verzorgster en een vader die ik op dit moment haat. En mijn echte moeder haat ik ook. Wat moet ik in godsnaam?'

Als ze weer een beetje tot rust is gekomen, vertelt Esther weer verder. 'Mama zegt dat wij elkaar gewoon niet begrijpen, omdat we geen bloedband hebben. Met mijn broer David heeft ze dat ook niet, maar met hem heeft ze wel een goede band. Omdat alles rond Monique voor hem een afgedane zaak is. En voor mij niet. Daarom vindt mama dat ik het contact weer moet herstellen.'

Een week geleden had Esther voor het eerst sinds tweeëneenhalf jaar een afspraak met haar echte moeder Monique. 'We zijn bij het gemeentehuis op een bankje gaan zitten en hebben gepraat. "Wat jij hebt gedaan, was ongelofelijk fout," zei ik tegen haar. "Je was een soort suikertante voor David en mij, maar een echte opvoeding gaf je ons niet. Je hebt allerlei dingen tegen ons gezegd die niet klopten. We hadden een afspraak dat we één keer in de twee weken bij jou zouden zijn, maar dat werd één keer in de twee maanden."'

'Monique kwam natuurlijk met allerlei uitvluchten. "Joh, geef nou eens toe dat je fouten hebt gemaakt," zei ik toen. "Jij neemt al aan dat ik lieg," zei Monique. "Ja, ik vertrouw je voor geen cent," zei ik. "Vind je het gek? Ik voel het als je liegt en dat doet me pijn. Dus lieg alsjeblieft niet, want dan word ik kwaad op je en dat wil je liever niet."'

'Toen gaf Monique wel toe dat ze niet goed met ons had gecommuniceerd en dat het niet goed was dat ze steeds minder tijd voor ons had. Ze zei dat ze had gedaan wat haar op dat moment het best leek. "Ik moest veel werken en bij jullie vader zouden jullie het gelukkigst zijn," zei ze. "Dat is bullshit," zei ik. "Wij hadden jou op dat moment ook nodig. Alles is nu zo gecompliceerd. Ik heb hele nachten liggen huilen met een pijn die je niet voor mogelijk kunt houden. Ik heb geprobeerd zelfmoord te plegen. En dat is wat jíj hebt veroorzaakt. Voor mij is alles pas echt over als jij dood bent."'

'Monique schrok er natuurlijk van dat ik dat zei. Toen zei ze dat ze zelf ook had gedacht aan zelfmoord, omdat ze wist dat ze heel erg fout was geweest. Dat verraste me. Het gesprek was totaal niet wat ik ervan had verwacht. Ik dacht dat Monique niks zou toegeven en dat ze alleen zou liegen. Het verbaasde me vooral dat ze toegaf dat ze tekort had geschoten als moeder. Het leek wel of ze echt aan het veranderen is. "Als jij bereid bent er honderd procent voor te gaan, wil ik je nog een kans geven," zei ik. "Maar dan moet ik je kunnen vertrouwen. En je zult je meer naar mij moeten buigen. Ik bel zelf wanneer ik tijd en zin heb. Of ik stuur je een brief. Maar laat het van mij komen. Sta niet ineens bij ons voor de deur en ga geen rare brieven schrijven. Je moet gewoon afwachten." Nou, dat vond ze goed.'

Door de ruzie met haar stiefmoeder loopt alles echter sneller dan Esther van plan was. 'Binnenkort ga ik een paar dagen naar Monique om weer te praten. Dat was een voorstel van mama. Ik denk dat ze me even kwijt wil. Zodat ze niet wordt geconfronteerd met de pijn die ik bij haar teweegbreng. Dat snap ik wel. Eigenlijk wil ik best een paar dagen naar Monique. Om thuis even weg te zijn. En dan kan ik eens zien hoe het gaat als ik bij haar ben.'

LIFE MUST GO ON

Broers Bavo en Axel zijn geen grote praters. Axel is elf jaar. Hij tokkelt uren achter elkaar op zijn gitaar, waarbij zijn blonde haren voor zijn ogen hangen. Hij heeft geen zin om iets te vertellen voor een boek. Bavo is dertien jaar. Hij wil best vertellen over de scheiding van zijn ouders. 'Om te laten zien dat het ook goed kan gaan,' legt hij uit.

Bavo praat het liefst op zijn eigen kamer bij zijn moeder in huis. 'Ik loop graag op blote voeten. Ik hoop niet dat je dat vervelend vindt?' vraagt hij. Hij heeft zijn halflange bruine haar achter zijn oren geduwd. 'Vroeger woonden wij met papa en mama in een groot herenhuis,' vertelt hij. 'Dat was een mooier huis dan dit. Axel en ik hadden daar een heel grote kamer, maar die moesten we delen. Dat vond ik minder leuk. Axel liet zijn spullen slingeren. En ik kon geen boek lezen als hij wilde slapen.'

De muren van Bavo's eigen kamer zijn geel en lichtblauw. 'Mama heeft ze geschilderd. Ik had geen zin om te kiezen, daarom nam ik dezelfde kleuren als de woonkamer. Het maakte mij niet veel uit. Zolang het maar niet het lelijke behang van eerst was.'

In Bavo's klas hebben meer dan de helft van de kinderen gescheiden ouders. 'Ik vond dat erg voor die kinderen. Maar je leert daar wel mee leven, dacht ik. Ik verwachtte dat het bij mijn papa en mama nooit zou gebeuren. Maar drie of vier jaar geleden zeiden ze op een middag dat ze uit elkaar gingen. Ik was op de computer bezig en Axel speelde met autootjes. Mama vroeg of we bij haar en papa wilden komen. Ze heeft heel rustig verteld dat ze niet meer van elkaar hielden als koppel, maar wel als vrienden. Dat was toch wel schrikken.'

Hij heeft een beetje gehuild, bekent hij. 'In het begin, maar daarna niet meer. Axel en ik praatten er 's avonds in bed over. Dat het erg was dat papa en mama uit elkaar gingen, maar dat we er wel aan zouden wennen. En dat we toch blij waren dat ze nog vrienden waren.'

'Ik probeerde het vanuit mama's en papa's standpunt te bekijken. Na een paar weken snapte ik het wel. Dat ze liever gewoon vrienden waren, omdat ze niet meer verliefd waren waarschijnlijk. Misschien verschillen ze te veel. Papa houdt van jazz en blues en mama meer van The Beatles of zo. Er zijn nog wel meer verschillen, maar die weet ik nu even niet. Ja, papa is tien jaar ouder dan mama. Dat is best raar, vind ik.'

Het verdriet heeft niet lang geduurd, vertelt Bavo. 'In het begin was ik wel eens treurig, maar op school dacht ik daar niet aan. Life must go on, tenslotte.' Hij wist al dat hij en Axel de ene week bij hun moeder zouden zijn en de andere week bij hun vader. 'Dus we zouden elkaar nog veel zien. Het leek me wel moeilijk dat papa ons elke zondag zou komen halen en weer terugbracht. Ik dacht dat het misschien beter zou zijn als we woensdag na school zouden wisselen. Maar dat heb ik nooit gezegd. Zolang papa er niks tegen had, was het goed.'

'Papa is eerst nog een paar weken bij ons gebleven. Toen was het eigenlijk nog heel gewoon. We ontbeten samen en zo. En hij en mama sliepen nog in hetzelfde bed. Dat vond ik wel oké. Samen met mama gingen we kijken naar het nieuwe huis van papa. Eerst vond ik het een raar huis. Het zit in een groot kantoorgebouw.'

Een volgende keer spreken we af in het huis van zijn vader. Door de telefoon vertelt Bavo dat hij zo beneden zal zijn om de toegangsdeur van het gebouw open te maken. Een kale gang met vieze vlekken op de witte muren leidt naar een lift. Bavo drukt op het knopje van de tweede verdieping. Er staan twee volwassenen in de lift. Ze zeggen niks. Weer een gang en dan een deur naar een plat dak waar auto's op staan. Rondom een paar verdiepingen kantoren.

Bavo loopt het parkeerdek over en opent een deur in het gebouw. Deze komt uit op een kleine hal die vol staat met dozen, zakken en een paar oude geluidsversterkers. 'Hier beneden woont Mickey,' vertelt Bavo. 'Hij is wel tof. Hij had een vriendin, maar zij zijn nu ook uit elkaar.'

Hij gaat een metalen trap op. 'We hebben veel trappen. Dat is vervelend als we de vuilniszakken buiten moeten zetten.' Nog een deur en dan staan we in een grote open ruimte. Het plafond is meters hoog. De muren zijn geel met oranje en rood. Een stuk of tien planten, bijna zo groot als bomen, reiken naar het plafond. Daartussen bungelt een hangmat. Er staan banken en stoelen in allerlei kleuren. Op sommige plekken steekt er schuimrubber uit. Op een van de banken zit Axel op zijn gitaar te tokkelen.

'Voordat wij hier kwamen wonen, was dit een soort disco,' vertelt Bavo. Hij wijst naar een lange bar. Daarachter staat nu een gasfornuis en een wasmachine. Een metalen trap komt uit op een hoog plateau waar een tafel met computer staat. Misschien stond daar de deejay? Bavo wijst naar een haak met een grote katrol aan het plafond. 'Dit is ook ooit een opslagplaats geweest. Met die haak werd graan of zo naar binnen gehesen.'

Vanaf het plateau gaat de trap verder naar een balkon. 'Daar slaapt papa eigenlijk, maar zijn waterbed is kapot. Hij ligt nu al een tijdje in mijn bed en ik bij Axel. Dat vind ik niet erg, want we hebben heel grote bedden.' Bavo opent een deur in een van de hoge muren. 'Dit is onze slaapkamer. Vroeger was het een geluidsstudio.' De wanden en het plafond zijn bekleed met donkergrijze vloerbedekking, die diende als geluidsisolatie. In een van de muren zit een raam met daarachter een kleine ruimte; daar stond de opname-apparatuur. De vloer is bezaaid met autootjes, lego en ander speelgoed. 'We zijn onze kamer aan het opruimen,' zegt Bavo verontschuldigend. 'We doen elke dag een stukje.'

Op twee plateaus liggen matrassen met beddengoed. 'De bedden zijn door een vriend van papa gemaakt.' Bavo opent een deurtje in een van de plateaus. 'Dit is ons clubhuis.' In de ruimte onder het bed liggen dekens en stripboeken. 'Ik zit hier niet vaak,' bekent Bavo. 'Het is er te donker.' Hij trekt de deur van de slaapkamer weer achter zich dicht. 'De kinderen uit mijn klas die hier geweest zijn, zeggen dat ik een zalig huis heb. Ik vind het ook leuk, maar voor mij is het nu gewoon.'

Bavo(links) en Axel met hun vader en moeder.

Als Bavo op een van de banken gaat zitten, springt er een kat op zijn schoot. 'We hebben hier twee katten,' vertelt hij. 'Ze heten Pantiet en Krappie. Een beetje rare namen. Die hebben Axel en ik gekozen toen we nog heel klein waren. Vroeger hadden we zeven poezen. Eentje is doodgegaan door rattenvergif. Twee kleintjes hebben we achtergelaten omdat die het veel te leuk vonden bij het oude huis. We wisten dat die wel te eten kregen van de buurvrouw. De andere vier katten hebben papa en mama verdeeld. De twee oudste gingen naar papa. Die slapen nogal veel en we hebben hier geen tuin. Henkie en Zwartje zijn bij mama. Ik vond het geen probleem, zolang ik ze alle vier nog kon zien.'

Bavo vindt dat hij zijn vader en moeder ook allebei nog voldoende ziet. 'Ze zijn nu gewoon vrienden. Als papa ons op zondag komt halen of brengen, blijft hij vaak koffiedrinken en dan praten we wat. Hij komt ook wel eens 's avonds op bezoek als wij bij mama zijn. En soms gaan we met zijn vieren wandelen.'

Hij kan zich één ruzie tussen zijn ouders goed herinneren. 'Toen waren ze al een tijd gescheiden. Papa kwam ons halen en ineens begon hij te schreeuwen en mama te huilen. Dat was heel erg. "Doe je schoenen aan," zei papa tegen mij. "Nee, niet doen," zei mama. Ik denk dat ze niet wilde dat wij met papa meegingen, omdat hij zo kwaad was.'

'Ik weet niet meer precies waar die ruzie over ging, maar ik weet wel dat ik niemand gelijk wilde geven. Omdat de ander dan misschien boos op mij zou worden. Papa zou kunnen denken dat ik mama leuker vond, of andersom.'

'Ik zei dat ze kalm moesten zijn, maar dat hielp niet. Daarom ging ik naar mijn slaapkamer. Ik zat te bibberen, omdat ik het eng vond. Axel is toen weggelopen, omdat hij schrik had. Mama had hem na een kwartiertje weer gevonden. Axel en ik wisten niet of we bij mama moesten blijven of niet. Uiteindelijk zijn we toch maar met papa meegegaan, omdat we die week bij hem zouden zijn. De dag daarna zijn we teruggegaan, geloof ik, omdat papa sorry ging zeggen.'

Andere grote ruzies zijn er volgens Bavo niet geweest. 'In het begin dacht ik nog dat ze misschien weer bij elkaar zouden komen. Maar op een gegeven moment was het wel duidelijk van niet. Zeker toen papa een nieuwe vriendin kreeg.'

Bavo vond de vriendin van zijn vader niet leuk. 'Die gaat nooit mijn mama vervangen, dacht ik. Laura was veel te streng. We mochten bijna niks als we bij haar waren. Geen tv kijken en niet te lang aan de computer. Niet dat ik dat wilde hoor, want ze had een hele oude computer. Af en toe bleef ze bij papa slapen. Dan sliep haar dochter Hélène bij ons op de kamer. Dat vond ik niet zo erg, want wij sliepen ook op haar kamer als we bij hen bleven. Hélène vond ik soms aardig, en soms niet. We speelden samen met onze knuffels en playmobil.'

'We zijn ook met hen op vakantie geweest naar Frankrijk. Toen mocht Hélène twee kinderen meenemen en wij niemand. Dat vond ik niet zo erg. Papa zei dat Axel en ik elkaar hadden. Op vakantie maakten papa en Laura veel ruzie. En daarna ook. Over van alles. Ik vond het raar dat ze bij elkaar waren, omdat ze zoveel ruzie maakten. Als Hélène er niet bij was, zeiden Axel en ik tegen elkaar dat we Laura haatten. Tegen papa zeiden we dat niet, maar hij merkte het misschien wel. "Ik weet dat jullie haar niet leuk vinden, maar probeer het toch," zei hij een keer.'

'Ze hebben, denk ik, anderhalf jaar iets gehad. Op het eind maakten ze heel vaak ruzie en stilletjesaan kwamen wij daar bijna nooit meer. Nu kom ik Laura misschien eens per jaar tegen in de stad. Dan zeg ik niks. Ik vond haar niet leuk, dus ik ga geen gesprek beginnen. Ik vind het totaal niet jammer dat ik haar niet meer zie.'

Bavo kijkt nu naar Axel. 'Jij vindt het toch ook niet erg dat wij Laura niet meer zien?' Axel stopt met tokkelen op zijn gitaar. 'Nee, maar ik vind het wel jammer dat we Hélène niet meer zien. Die vond ik wel tof.' Bavo komt Hélène nog wel eens tegen op zijn school, vertelt hij. 'Dan doe ik net alsof ik met iets anders bezig ben. Of ik kijk naar de lucht. Ze interesseert me niet echt.'

Het is nu een jaar uit tussen hun vader en Laura, schat Bavo. 'Of misschien al anderhalf of twee jaar,' denkt Axel. 'Het is niet uit te sluiten dat papa weer een vriendin krijgt,' zegt Bavo. 'En mama zal misschien ook wel eens een vriend krijgen. Maar ik hoop eigenlijk van niet.' Axel is het met zijn broer eens. 'Behalve als het een hele toffe vriend of vriendin is.'

Hij legt zijn gitaar aan de kant en komt bij Bavo zitten. 'Laura werd snel boos op ons,' vertelt hij. 'Ze vond het niet leuk als wij met onze ellebogen op tafel zaten en als we slurpten of smakten tijdens het eten. Dan schreeuwde ze tegen ons dat we daarmee moesten stoppen.'

'Ze overdreef,' vindt Bavo. 'Ja,' beaamt Axel. 'Ik kan er zelf ook niet goed tegen als iemand smakt aan tafel.' 'Soms werd papa boos op ons of Hélène als we iets verkeerd deden,' vervolgt hij. 'Minder vaak op Hélène dan op ons,' zegt Bavo. 'Op andermans kinderen mag je eigenlijk niet boos worden.' Dat klopt, vindt Axel. 'Het was vooral in het begin dat papa boos werd. Om een goede indruk op Laura te maken, denk ik.'

Bij nader inzien vindt Axel het toch leuk om mee te doen aan het boek. De volgende woensdagmiddag dat we afspreken, is Bavo op kamp met school. Axel is alleen in het huis van zijn vader. Hij heeft voor zichzelf een eitje gebakken en nestelt zich op een blauwe bank.

'Ik vind het goed dat papa en mama gescheiden zijn, omdat ze niet meer van elkaar houden,' zegt hij. 'In het begin vond ik het wel een beetje erg, maar daarna niet zo. Omdat ik wist dat ik ze nog allebei ging zien. Ik had er een klein tekstje over geschreven om het aan de kinderen in mijn klas te vertellen. Ik vond het beter als die wisten dat papa ergens anders woonde. Dan zouden ze geen vervelende vragen stellen als ze bij mij thuiskwamen.'

Hij had wel lang verdriet van de ruzie waar zijn broer al over vertelde. 'Een half jaar later of zo heb ik er nog van gedroomd, omdat ik erover bleef denken. Gelukkig kon ik erover praten met mijn beste vriend. Hij heeft ook gescheiden ouders. Door erover te praten, werd ik minder verdrietig. Op school zei ik er niets over, want dan zouden mijn klasgenoten misschien een verkeerd beeld krijgen van mijn ouders.'

'Ik vond het leuk dat papa in een nieuw huis ging wonen,' vervolgt hij. 'Op woensdag na school mochten wij hier helpen. Kijk, die muur heb ik mee geschilderd. Het meeste werd door anderen gedaan, hoor. Elke dag kwamen er vrienden en vriendinnen van papa. Mama heeft ook een keertje meegeholpen, geloof ik. Ik zat meestal te spelen met mijn autootjes.'

Het huis van zijn vader in de stad vindt Axel leuker dan de hoekwoning in de randgemeente waar ze met hun moeder wonen. 'Dat is een klein huis en daar is niet veel te doen. Ik heb er geen vrienden. Ja, een paar van de muziekschool, maar dat zijn allemaal kleintjes van acht jaar. De groten zijn allemaal voetbalfreaks. Die zijn niet zo leuk. Ik vind dat voetbal mensen agressief maakt.'

Hij mist het huis waar ze vroeger met zijn vieren woonden. 'Daar hadden we een grote tuin waar ik met papa een hut in bouwde met twee verdiepingen. Het huis was ook groot. We hadden al een huurder, maar toen papa wegging, heeft mama er nog een moeten zoeken, omdat ze het anders niet kon betalen. Er woonde een mevrouw bij ons met een vervelend dochtertje. Zij speelde met ons speelgoed en maakte het kapot. En ze pakte onze katten heel ruw op. Daar werd ik heel boos om, want dat vond ik zielig.'

'Toen de huisbaas doodging, werd het huis verkocht en moesten we met mama ook verhuizen. Onze poes Henkie was eerst ook bij papa, maar die is toch naar mama gegaan. Papa wilde niet te veel poezen verzorgen. Hij was het niet gewend om het huishouden te doen. Nu komt hier een poetsvrouw en Bavo en ik helpen met de planten water geven en soms de matten stofzuigen. Dat vind ik niet erg. Als we hier wonen, moeten we ook een beetje helpen met onderhouden, vind ik.' Bij hun moeder hoeven ze niet veel te doen, zegt Axel. 'Zij doet het meeste zelf. Wij moeten alleen onze spullen in een bak doen als we hebben gespeeld.'

Hij noemt nog een paar verschillen tussen het wonen bij vader of moeder. 'Mama heeft meer regels. Bij haar moeten we bijvoorbeeld elke dag een schoon T-shirt en schone sokken aan. Papa let daar niet zo op. Hij let er ook niet op hoe laat het is als wij naar bed gaan. Eigenlijk vindt hij dat we rond tien uur moeten gaan slapen. Maar als wij zelf niet zeggen dat het tien uur is, kunnen we langer opblijven. Bij mama hebben we de regel dat we om negen uur naar onze kamer gaan. Of hoogstens twintig minuten na negen. Dat vind ik niet erg. Mama gaat dan zelf ook naar bed. En bij haar moeten we vroeger op, want dan gaan we met de bus naar school. Papa brengt ons meestal met de auto.'

Net als zijn broer is hij er nu helemaal aan gewend om de ene week bij vader te wonen en de andere week bij moeder. 'Het is fijn dat ze goede vrienden zijn. Met mijn verjaardag gaan we samen iets leuks doen en kerstmis vieren we ook samen. Na de scheiding wilden ze gewoon bij elkaar op bezoek blijven gaan. Eerst deden ze dat misschien om ons niet droevig te maken, maar ik denk dat ze het nu zelf ook leuk vinden.'

PAPA EN MAMA HEBBEN MEDELIJDEN MET MIJ

'Mijn moeder komt zo,' zegt Steffie, terwijl ze iets fris inschenkt in het huis van haar vader. 'Als het om mij gaat, doen papa en mama nog veel samen,' glimlacht ze. 'Leuk, hè!' Even later zitten haar vader en moeder samen met een kopje koffie aan tafel. Ze dragen allebei een spijkerbroek en hebben korte, vlotte kapsels. Steffie draagt ook een spijkerbroek. Haar dikke bos bruin haar zit in een staart en ze heeft een moderne, blauwe bril op. Haar vader en moeder willen graag meer weten over het boek waar Steffie aan mee wil werken. Ze wordt binnenkort twaalf jaar en heeft gezegd dat ze dan bij haar vader wil gaan wonen. Haar moeder vindt dat niet leuk. 'Maar als Steffie graag haar verhaal wil vertellen, vind ik dat prima,' zegt ze. Vader is het daarmee eens.

De volgende ontmoeting is weer in het huis van Steffies vader. Dit keer is moeder er niet bij. En vader duwt ze snel de voordeur uit. 'Dag schatje,' glimlacht hij. 'Dan ga ik maar weer eens aan het werk.' Hij heeft een overall aan met verfstrepen erop.

Steffie wil liever niet dat haar vader en moeder erbij zijn als ze haar verhaal vertelt. 'Zij zien het anders dan ik,' legt ze uit. 'Ze vinden het zielig voor mij dat ze gescheiden zijn. Terwijl dat eigenlijk wel meevalt. Vooral aan papa merk ik dat hij het zielig vindt. Ineens gingen we van alles samen doen. Bowlen bijvoorbeeld. Dat had ik daarvoor nog nooit gedaan.'

'We kunnen het best op mijn slaapkamer gaan zitten,' zegt

ze voordat ze aan haar verhaal begint. 'Daar komt het, denk ik, allemaal weer boven.' De muren van haar kamer zijn paars en op bed ligt een paars dekbed. Op een houten bureautje staan lijstjes met daarin foto's van Steffie toen ze klein was. Op één ervan zit ze met haar vader in een rubberbootje. Daar heeft hij een flinke bos krullen.

Steffie gaat op haar bureaustoel zitten en steekt van wal. Het gebeurde ongeveer twee jaar geleden, schat ze. 'We waren met zijn drietjes op een darttoernooi. Ik had van tevoren niks gemerkt. Mama liep naar papa en ik hoorde haar zeggen: "Nu weet ik het zeker." Ineens gingen we naar huis. Ik moest lachen. "Jullie gaan toch zeker niet scheiden," zei ik voor de grap. Toen begon mama te huilen.' Steffie maakte het grapje niet zomaar. 'Een week of twee daarvoor hadden goede vrienden van papa en mama verteld dat ze gingen scheiden. Ik huilde, want met hun twee zoons kan ik erg goed opschieten.'

Toen ze hoorde dat haar eigen ouders uit elkaar gingen, heeft Steffie ook veel tranen gelaten. 'Eerst voor mezelf en daarna voor oma en opa. Papa heeft vier broers en daar zijn er nu drie van gescheiden. Papa en mama gingen samen naar oma om het te vertellen. In de lift stond ik tussen hen in voor een grote spiegel. Ik zag dat mijn gezicht helemaal rood was van het huilen. Ineens gingen er allemaal vragen door mijn hoofd. Waar moet ik nou naartoe? Wat gebeurt er met mijn kamer? Waar moet ik straks mijn posters ophangen? En waar moet ik mijn haarborstel en elastiekjes laten? Rare vragen. Net of dat het ergst was.'

'Papa gebruikte de sleutel van oma's voordeur. Oma schrok,

want anders drukte papa altijd op de bel. Mijn tante en oom en neef en nicht waren er ook. Oma zei dat zij even naar beneden moesten gaan. Ze zag meteen dat er iets aan de hand was.'

'Papa en mama hebben heel lang met oma gepraat. Ik hoorde moeilijke woorden. Relatietherapeut en zo. "Help, hier gebeurt iets waar ik niet bij wil zijn," dacht ik. Het duurde heel lang. Mama zei dat ze meer vrijheid wilde, maar ze kon niet goed uitleggen waarom. Oma vond het niet belangrijk om daar iets over te vragen. Ze vroeg steeds of er niks meer aan te doen was. "Dat kan niet meer, dat kan niet meer," zei papa steeds. Om oma een beetje rustig te maken. Mama kreeg eigenlijk een beetje de schuld van haar.'

Na het gesprek gingen ze naar huis. Het huis dat nu van haar vader is en waar Steffie haar verhaal vertelt. Ze was kwaad op haar moeder. 'Ik gooide mijn jas over haar heen en begon haar te slaan. Ze deed niks terug. Toen rende ik naar mijn kamer en ging voor de spiegel zitten. Kijk, zo.' Ze gaat op haar knieën voor de muur van haar slaapkamer zitten. Daar hing vroeger een grote spiegel. 'Precies op dat moment sprong er ineens een barst in. Heel gek. Ik riep papa en zei dat hij de spiegel in de prullenbak moest gooien.'

Steffie grijnst. 'Ja, ik ben wel iemand die de dienst uitmaakt. Eigenlijk wilde ik in die tijd alles weggooien. Zo boos was ik. Voor de scheiding dacht ik altijd dat ik drie kinderen wilde. Maar toen zei ik: "Ik ga nooit trouwen en ik wil geen kinderen."' Ze lacht: 'Dat is nu wel weer anders, hoor. Best grappig als ik daaraan terugdenk. Toen dacht ik dat het altijd zo zou lopen als bij papa en mama.'

Steffie houdt niet van lange gesprekken. 'Hoe laat is het?' vraagt ze een paar keer tijdens het praten. 'Ik moet op tijd bij mama zijn, want we moeten nog koken. En we moeten een videootje terugbrengen dat we gisteravond hebben gekeken.'

Ze zet de lege glazen in de keuken van haar vader en gooit de lege snoeppapiertjes in de prullenbak. Het huis ziet er netjes uit. Het aanrecht in de open keuken is leeg en schoon. Op de eettafel ligt alleen een stapeltje papieren in een hoek. Steffie pakt haar tas en sleutels en trekt de voordeur achter zich dicht. 'Mama woont daar.' Ze wijst naar een flat een paar honderd meter verderop. 'Lekker dichtbij,' lacht ze als ze op haar fiets stapt.

Een paar weken later klinkt haar stem door het venstertje bij de toegangsdeur van de flat. 'Kom maar naar boven!' Drie verdiepingen hoger staat een bruin hondje op de trap te kwispelen. 'Dolly, Dolly, doe eens rustig,' lacht Steffie. Ze zet haar hondje op de houten vloer in de woonkamer. Daar ligt een plastic bol voor waspoeder. Dolly pakt hem in haar bek. Ze wil spelen. 'Nee, dat kan nu niet,' zegt Steffie. Ze pakt Dolly weer op en legt haar op de bank naast een grijze poes. 'Blijven liggen!'

De kamer ziet er gezellig uit. Op een crèmekleurige muur hangt een foto van Steffies neefjes en nichtjes. Aan de ene kant van de kamer staan twee zachte zwarte banken voor een groot raam met lichtbruine luxaflex. Aan de andere kant staat een grote houten tafel met daarop een viskom en een vaas met bloemen. Er liggen allerlei spulletjes omheen. Pennen, papieren, een rolletje plakband, een notenkraker, kattensnoepjes en nog veel meer. Steffie maakt de tafel vrij om te kunnen zitten. 'Het was best moeilijk om dit appartement te vinden,' vertelt ze. 'Daarom hebben we nog best lang met zijn drieën in het oude huis gewoond. Een half jaar of zo. Mama ging op mijn kamer slapen en ik bij papa. Lekker in een heel groot bed. Verder veranderde er niet veel. Mama kookte nog gewoon en we aten met zijn drieën aan tafel. Ze maakte ook nog elke dag papa's broodtrommel klaar. Ze zeggen dat ze toen wel eens ruzie hadden, maar daar heb ik niks van gemerkt. Het enige verschil was dat ze elkaar 's ochtends geen kus meer gaven en dat mama niet meer mee ging naar oma van papa's kant en andersom. Ik wilde bijna vragen of ze wel echt gingen scheiden.'

Uiteindelijk vond haar moeder het appartement. Steffie vond het niet erg om te verhuizen. 'Omdat het heel dichtbij is. Het was juist leuk om een lekker fris huisje op te knappen. Ik heb alles mee uitgekozen: de verf, de planten en de lampen. Eigenlijk wilde ik roze lamellen, maar dat vond mama te fel. "Ik ken jou," zei ze, "over vijf dagen wil je weer iets anders."'

Haar vader en moeder spraken af bij wie Steffie op de verschillende dagen in de week zou zijn. 'Dat is het enige waar ik me niet mee heb bemoeid,' lacht ze. 'Ze zouden het wel eerlijk verdelen, dacht ik. Op maandag, dinsdag en donderdag ben ik bij mama. Op woensdag, vrijdag en zaterdag ben ik bij papa. En zondag om en om.'

Het klopt dat ze een paar maanden geleden zei dat ze bij haar vader wilde gaan wonen, bekent ze. 'Maar dat gaat niet, omdat papa veel moet werken. Hij is schilder en werkt hele dagen van 's morgens vroeg tot 's avonds zes uur en soms nog later. Daar heb ik toen helemaal niet bij nagedacht. Ik dacht alleen aan mezelf. Eigenlijk wel stom.'

Steffie met haar vader en moeder.

Waarom ze bij haar vader wilde wonen, zegt ze niet meer te weten. Ze stapt over op een ander onderwerp. 'Papa wist niet zeker of hij in ons oude huis zou blijven. Daarom gingen we naar een chalet op een camping kijken. Ik zag het daar wel zitten. We zouden een grote tuin krijgen en er was een zwembad. Ik ben er best vaak geweest. Papa leerde mij de route naar de camping fietsen vanaf mama's flat en vanaf school. Hij had een groen chalet uitgekozen. Maar plotseling ging het toch niet door. Ik weet niet waarom. Ik vond het niet erg. Konden we tenminste in ons eigen huis blijven wonen. Komen we gelukkig niet in dat chalet met die lelijke groene kleur, zei ik.'

Soms lijkt het nog maar pas geleden dat haar ouders uit elkaar gingen, zegt ze. 'Mama wist het al langer, heeft ze me achteraf verteld. Ze was eigenlijk van plan om het nog acht jaar vol te houden. Tot ik het huis uit was. Ik vind het goed dat ze dat niet heeft gedaan. Dan zou zij niet gelukkig zijn geweest en ik uiteindelijk ook niet. Het zou nog erger zijn als ze uit elkaar gingen op het moment dat ik op mezelf ga wonen. Dan zou ik geen nieuwe start kunnen maken. Nu vind ik het natuurlijk vervelend dat papa en mama gescheiden zijn, maar toch niet héél erg.'

De scheiding zal altijd een onderdeel van haar leven zijn, weet ze. 'Ik ben vaak moe, omdat ik alles heel goed wil doen. Ik wil dat het goed gaat met papa en mama. En ik wil goed dansen, omdat ik later een eigen dansschool wil. Pas had ik vijf proefwerken op school. Die wilde ik ook goed maken. En op een gegeven moment is de cirkel vol. Die proefwerken zijn nu achter de rug, dus die zijn weg uit de cirkel. Maar de scheiding zit eigenlijk om de hele cirkel heen, omdat die nooit meer weggaat.'

Om beter uit te leggen wat ze bedoelt, maakt Steffie een tekening van een cirkel. Ze verdeelt hem in taartpunten. In een van de punten schrijft ze papa en mama. In andere punten staan haar hond, dansen, school en proefwerken. Om de hele cirkel heen tekent ze een grotere cirkel. Daarin schrijft ze scheiding.

Ineens staat ze op van de tafel. Ze komt terug met een hangertje van een ketting. Het is een melktandje met twee gouden ringetjes eromheen. 'Een jaar of twee voordat ze gingen scheiden, heeft papa dit met mij ontworpen. Wij houden van symbolen. Het betekent dat ik altijd hun kind blijf en dat ze altijd alles samen zullen doen. Nu vind ik het jammer dat het hangertje ooit gemaakt is. Omdat ik er veel waarde aan hechtte en het symbool niet meer klopt.'

Ze loopt weer weg en komt terug met de trouwring van haar vader. 'Ik heb gezegd dat ik de trouwringen wil hebben. Want ik vind dat ik daar nu de baas over ben. Ik ga geld sparen om er één hangertje van te laten maken.' Ze draagt de twee trouwringen nu soms aan een ketting om haar hals, vertelt ze. 'Als ik een spreekbeurt moet doen of zo. Vorige week had ik ze om bij de generale repetitie voor een dansoptreden. Het is symbolisch, omdat ik vind dat je ouders je altijd moeten steunen.'

Waarom haar moeder meer vrijheid wilde, weet Steffie niet. 'In het begin vroeg ik er niet naar. Toen vond ik het belangrijker waar ik met mijn spulletjes moest blijven en zo. Eigenlijk stom, maar ja, toen was ik negen. Nu denk ik er niet echt meer over na waarom ze gescheiden zijn. Als mensen straks nog iets over de scheiding vragen, zeg ik dat ze dit boek moeten lezen.'

Steffie heeft geen zin in vragen en zielige gezichten. 'Waar ga je nu wonen en wie gaat je opvoeden, vroegen allerlei kennissen in het begin. Allemaal vragen waar ik zelf het antwoord nog niet eens op wist. Toen ik een keer in de supermarkt een pizza ging halen, kwam er weer iemand naar me toe die zielig keek. Mens, bemoei je met je eigen zaken, dacht ik. Ik liep gewoon de winkel uit zonder pizza.'

'Papa, kijk eens wat een goed rapport ik heb!' roept ze bij een volgende ontmoeting in het huis van haar vader. 'Zelfs met luisteren ben ik vooruitgegaan. Daar zal mama wel om lachen, want thuis luister ik nooit.' Haar vader bestudeert het mapje met een glimlach. 'Zo, zo,' zegt hij goedkeurend. 'Dat is inderdaad een goed rapport.' Steffie wijst waar hij moet kijken. 'Mijn inzet is naar ruim voldoende gegaan!'

Een jaar geleden deed Steffie niet goed haar best op school, bekent ze even later als haar vader weer naar zijn werk is. 'Door de scheiding was ik boos op iedereen en daarom deed ik alleen wat ik zelf wilde. In leren had ik geen zin.' Ze moest een klas overdoen. 'Dat kwam ook doordat ik dyslexie heb, hoor. Nu doe ik wel goed mijn best, omdat ik weet dat ik kan blijven zitten. En omdat het verdriet van de scheiding een beetje over is. Het is nu eenmaal gebeurd. Daar kan ik niks meer aan doen.'

Ze is veranderd, vertelt ze. 'Vroeger werd ik gepest op

school. Nu niet meer. Ik ben veel feller geworden. Dat heeft ook met de scheiding te maken. Ik laat me niet meer zo snel kisten. Ik ben sterker geworden doordat ik al genoeg ellende heb meegemaakt.' Sommige meiden die haar vroeger pestten, deden ineens aardig na de scheiding. '"Nu hoeven jullie niet meer te komen," zei ik, "want ik heb nu andere vrienden."'

Steffie stapt weer over op een ander onderwerp. 'Volgende zondag komen de kinderen van Joost bij ons,' vertelt ze. Joost is de vriend van haar moeder. Zijn kinderen zijn twee meisjes van drie en vijf jaar. 'Ze zijn wel leuk. Hoewel, de oudste vind ik iets minder. Zij haalt overal haar vader bij. Nu snap ik waarom kinderen in de klas altijd zeggen dat je een probleem hebt als je de oudste bent. "Jij moet het goede voorbeeld geven," zegt Joost altijd tegen mij.'

Hoe lang haar moeder al verkering met hem heeft, weet Steffie niet precies. 'Een maand of vier, denk ik.' Ze loopt naar de wc. 'Even op de kalender kijken, want ik weet nog wel bij wie hij op het verjaardagsfeest is geweest. 'O, nee,' zegt ze als ze terugkomt. 'Het is al zeven maanden.'

Dat ze bij haar vader wilde gaan wonen, kwam doordat ze het moeilijk vindt dat haar moeder een vriend heeft, verklapt ze nu. 'Toen mama eerder verkering had met een andere man vond die ook dat ik dingen niet goed deed. Dan koos ze soms partij voor hem. Daardoor kregen we ruzie. Van mijn nicht hoorde ik dat je mag kiezen bij wie je wilt wonen als je twaalf bent. Ik vond het wel stoer dat ik zelf rechten had.'

Inmiddels gaat het weer goed tussen Steffie en haar moeder.

'We zijn een weekje met zijn tweetjes op vakantie geweest naar een landgoed in de bossen. Omdat ik vroeg of mama iets met mij wilde doen.'

Sinds kort heeft haar moeder een nieuwe baan bij een fotozaak. 'Daarom vond papa dat ik tussen de middag ergens anders moet eten. Mama vond dat eigenlijk niet nodig. Toen hebben ze samen overlegd en nu ben ik drie keer per week tussen de middag bij opa en oma van papa's kant en een keer bij opa en oma van mama.'

Ze is blij dat haar vader en moeder veel samen doen als het om haar gaat. 'Ze helpen allebei mijn feestje organiseren voor mijn verjaardag en ze gaan samen naar ouderavonden. Dat doen ze voor mij. Het is, denk ik, belangrijk voor mijn opvoeding. Een vader doet toch andere dingen dan een moeder. Papa vindt bijvoorbeeld dat ik op een teamsport moet. Die zou het geweldig vinden als ik ging voetballen. Mijn moeder houdt meer van meidendingen.'

Er zijn nog meer verschillen in de opvoeding. 'Bij mama moet ik een kwartiertje of halfuurtje vroeger naar bed dan bij papa. Hij wil mij gewoon iets langer zien, denk ik. Hahaha.'

Haar vader maakt veel grapjes, vertelt ze. 'Pas deed hij net of hij flauwviel toen hij de telefoonrekening zag. "Hou je vast," zei hij, voordat hij het vertelde. Ik had iets van honderddertig keer mobiel gebeld! Mama zou daarvan helemaal overstuur raken, maar papa kon er wel om lachen. Later zei hij wel dat ik voortaan een beetje minder moet bellen.'

Haar ouders zijn niet streng, vindt Steffie. 'Ik mag niet alles, maar wel heel veel. Soms een beetje te veel. Dan kun je een verwend nest worden. Het komt, denk ik, doordat ik hun enige kind ben, maar ook door de scheiding. Omdat ze medelijden met me hebben.'

'Het is uit tussen mama en Joost,' vertelt Steffie bij het laatste gesprek. Ze weet niet precies waarom. 'Gewoon, omdat het niet goed liep, denk ik. Ik denk er niet echt over na, want ik wil liever plezier maken.' Ze vindt het niet erg dat het uit is, zegt ze. 'Mama krijgt vast weer een nieuwe vriend.'

Haar vader heeft geen verkering gehad sinds de scheiding. 'Misschien omdat hij veel tijd met mij wil doorbrengen. We hebben veel lol. Soms gaan we winkelen, en we kijken altijd samen naar Idols op televisie.'

Toch verwacht Steffie dat het niet lang meer zal duren tot haar vader een vriendin krijgt. 'Als het een aardig meisje is, vind ik het leuk voor hem. En ook voor mij.' Ze lacht: 'Dan kiest zij vast mijn kant als ik iets wil. En dan kunnen we samen grapjes maken over papa.'

'Ik zou het alleen niet leuk vinden als papa of mama weer gaan trouwen,' vervolgt ze. 'Dan denken de nieuwe man van mama en vrouw van papa misschien dat ze de baas over mij zijn.'

Steffie vindt het prima zoals het nu is. 'Ik ben er eindelijk aan gewend dat papa en mama gescheiden zijn, en ik vind dat het zo ook wel kan. Vroeger vond ik het zielig als ouders van een kind gingen scheiden, maar dat hoeft niet zo te zijn.'

In haar slaapkamer in haar moeders appartement hangt een grote foto van Steffie met haar vader en moeder toen ze nog een gezin vormden. Ze voelt zich niet verdrietig als ze ernaar kijkt. 'Dat was gewoon een hele leuke tijd. Ik heb die foto expres opgehangen om te laten zien dat ik hun niks kwalijk neem.'

ESTHER VERTELT: 'SOMS BEGRIJPT ZE ME TOCH BETER DAN MIJN STIEFMOEDER'

Voor het eerst sinds bijna drie jaar is Esther op bezoek geweest bij haar echte moeder Monique. 'Eén dag in plaats van twee,' vertelt Esther. 'Monique vond dat we het rustig aan moesten doen. Daar had ze wel gelijk in.'

's Ochtends zette mijn vader me af bij een hotel in de stad waar hij werkt. Daar kwam Monique me halen. Eerst brachten we mijn bagage naar het huis van de pleegouders van haar man Dennis. Monique en hij hebben geen goede slaapplaats voor mij in hun appartement. Zijn stiefouders waren op vakantie, dus konden we daar terecht.'

Nadat Esthers bagage was afgezet, nam Monique haar mee naar een oom. 'Hij heeft een restaurant. Daar hebben we geluncht. Mijn oom praatte zoals altijd over koetjes en kalfjes. Ik vroeg hem of er nog dingen waren die hij niet begreep of waar hij uitleg over wilde. Toen vroeg hij of ik nergens spijt van had. Ik zei dat ik het jammer vind dat het zo gelopen is, maar dat ik geen spijt kan hebben. Omdat het mij op dat moment het beste leek om elkaar niet meer te zien. Die beslissing kwam voort uit de situatie waarin ik op dat moment zat.'

'Dat snapte mijn oom niet. Hij vindt dat ik er spijt van moet hebben dat ik zolang geen contact wilde. En papa en mama hebben ook schuld, vindt hij, omdat ze David en mij niet hebben gepusht om naar Monique te gaan. Zijn eigen moeder deed dat wel toen ze van zijn vader scheidde. Ik zei dat het bij ons anders gaat. Mijn ouders praten met mij. Ze vragen wat ik denk dat het beste is en dan staan ze achter me. Zo'n beslissing kun je niet overlaten aan een kind, zei mijn oom. Toen heb ik het niet verder uitgelegd, want hij kan of wil het niet snappen.'

Vervolgens gingen ze naar een tante. Daar voelde Esther zich wel fijn. 'Mijn tante heeft twee schattige zoontjes en ze is getrouwd met een aardige man. Met hen kun je een fatsoenlijk gesprek voeren en zij snappen hoe het is om kinderen te hebben. Ik hoef geen uitleg van je, zei mijn tante. Monique heeft het moeilijk gehad, maar jij ook. Ik ben allang blij dat ik je weer zie. Dus laten we proberen normaal te doen.'

's Avonds kookte Esther samen met Monique en Dennis een maaltijd in het huis van zijn pleegouders. Esther was blij met de reactie van Dennis. '"Ik vind het niet fijn dat Monique gekwetst is en pijn heeft gehad. Maar ik wil niemand beschuldigen," zei hij. "Het is gegaan zoals het is gegaan. We zullen een nieuwe band moeten opbouwen. Laten we dat stap voor stap doen." Het verbaasde me dat hij er zo intelligent mee omgaat.'

Esther ziet Dennis niet als een stiefvader. 'Meer als een goede vriend met wie je lol kunt hebben. Hij maakt overal grapjes over.' Ze weet nog dat Monique vertelde dat ze met hem was getrouwd. 'Mijn broer David en ik waren nog best jong. Ze waren op vakantie geweest naar Griekenland. "We moeten jullie iets leuks vertellen," zei Monique. Ze had een cadeautje voor ons gekocht. Ik denk om goed te maken dat ze ons er niet bij had betrokken.'

Esther en haar moeder Monique.

Na het eten keek Esther met Monique en Dennis een film. Daarna stelde Monique voor dat zij en Esther samen in het bed van Dennis' pleegouders zouden slapen. Dat zag Esther niet zitten. '"Ik slaap niet met jou in één kamer," zei ik. En zeker niet in één bed. Toen kreeg ik een aparte kamer.'

De volgende ochtend bracht Monique haar naar het hotel waar haar vader haar weer zou ophalen. '"Nou, hoe vond je het?" vroeg Monique. Ik vond het op zich wel oké. Maar ik denk niet dat ik snel weer bij haar ga logeren. Want het was erg veel in één keer. Ik voelde me toch niet zo op mijn gemak. Monique snapte dat wel. "Aan de ene kant ben ik blij dat je weer weggaat," zei ze. "En aan de andere kant niet."'

'Later, toen ik bij mijn vader in de auto zat, realiseerde ik me pas wat ik miste. Ik zoek een emotionele band met mijn moeder, maar zij behandelt me als een vriendin. Ze is een vrouw van in de veertig die zich gedraagt als een kind van zestien. Ze is nooit volwassen geworden. Soms lijkt het net alsof ik haar moet opvoeden. Toen we stonden te koken, zei ik tegen haar wat ze moest doen. Meid, dacht ik, je weet toch wel hoe je een salade moet maken!'

Toch was het weekend geen grote tegenvaller. 'Ik had verwacht dat het niet goed zou uitpakken. Dus ik heb geen echte klap gekregen. Als ik mezelf valse hoop geef, ben ik zwaar teleurgesteld, wist ik van tevoren. Dat heb ik zo vaak meegemaakt, dat laat ik me niet weer overkomen. Toch heb je je moeder nodig. Daarom denk ik dat ik voortaan af en toe een dagje met Monique afspreek. Ik vind het vervelend om te zeggen, maar in sommige dingen begrijpt zij mij beter dan mijn stiefmoeder.'

Over jongens kan ze bijvoorbeeld beter met Monique praten, lacht Esther als ze terug is van zomervakantie. Met haar vader en stiefmoeder is ze ruim een maand naar Spanje geweest. Daar hoopte ze weer lol te maken met de jongen die ze vorig jaar tijdens de vakantie tegenkwam. Nu bleek hij geen interesse meer te hebben. Dat vond Esther niet erg. 'Met mijn nicht en een vriendin ging ik lekker samen naar de disco. Daar waren ook heel leuke jongens,' lacht ze geheimzinnig.

En na de vakantie heeft ze op het schoolfeest lol gehad met een jongen. 'Hoe lang hebben jullie al iets? vroeg mijn vader. Nou ja! Je hoeft toch geen verkering te hebben om met iemand te zoenen. Dat is lastig uit te leggen aan papa en mama. Die doen daar best moeilijk over. Aan hen vertel ik dus echt niet wat ik behalve zoenen nog meer heb gedaan. Tegen Monique kan ik dat wel zeggen. Zij is over zoiets heel open. "Zulke dingen deed ik ook toen ik jong was," heeft ze me verteld.' Esther lacht weer: 'Komend weekend ga ik met haar lunchen en winkelen. Dan zullen we het er wel uitgebreid over hebben.'

Een paar dagen later lopen Esther en Monique arm in arm door het winkelcentrum. Ze kletsen en lachen. Esther vertelt over haar avontuurtje met de schoolgenoot. En Monique vertelt dat ze goed begrijpt dat haar dochter vreselijk kwaad op haar is geweest. 'Als ik alles mocht overdoen, was Esther misschien niet geboren,' bekent ze. 'Ik denk dat ik de verplichtingen die bij kinderen horen als moeder niet aankon.'

Esther weet al dat zij later geen kinderen wil. 'Omdat ik carrière wil maken in een leuke baan en veel wil reizen. Ik heb vrijheid nodig.' In bepaalde karaktertrekken lijkt ze meer op haar moeder dan ze ooit voor mogelijk had gehouden, bekent ze.

WIE OP ZOEK IS NAAR INFORMATIE KAN TERECHT BIJ:

De Kinder- en Jongerentelefoon Vlaanderen
Postbus 50, 2800 Mechelen.
Tel. 0032(0)800-15111
E-mail:brievenbus@kjt.org
Website: www.kinderenjongerentelefoon.be

De Kindertelefoon (Nederland)
Tel. 0031(0)800-0432
Website: www.kindertelefoon.nl

Bureau Jeugdzorg
In vijftien regio's in Nederland is een Bureau Jeugdzorg
gevestigd. De adressen staan op internet.
Website: www.bureaujeugdzorg.info

Jongeren Advies Centrum (JAC)
Deze zijn gevestigd in heel Vlaanderen. De adressen staan op
internet.
Website: www.jac.be

Kinderrechtswinkel Brugge
Kleine Hertsbergestraat 1, 8000 Brugge.
Tel. 0032(0)50-339584
E-mail: KRW.Brugge@kinderrechtswinkel.be
Website: www.kinderrechtswinkel.be

Kinderrechtswinkel Gent

Geldmunt 24, 9000 Gent.
Tel. 0032(0)9-2336565
E-mail: KRW.Gent@kinderrechtswinkel.be
Website: www.kinderrechtswinkel.be

Kinder- en Jongerenrechtswinkels in Nederland

Deze zijn gevestigd in elf steden in Nederland. De adressen
staan op internet.
Website: www.kinder-enjongerenrechtswinkels.nl

Kinderrechtencommissariaat

Leuvenseweg 86, 1000 Brussel.
Tel. 0032(0)2-5529800
E-mail: kinderrechten@vlaamsparlement.be
Website: www.kinderrechtencommissariaat.be

Bij dit boek hoort een lesbrief voor de bovenbouw van de basisschool en de onderbouw van de middelbare school. Hiermee
kunnen leerkrachten aan de hand van fragmenten uit het boek
met de klas een gesprek voeren over het onderwerp. Dit ver-
groot het begrip van klasgenoten voor de situatie van kinderen
van gescheiden ouders. Voor hen kan het klassengesprek een
aanknopingspunt zijn om over hun ervaringen te vertellen. Ook
leerlingen die bang zijn dat hun ouders uit elkaar zullen gaan,
kunnen aan het klassengesprek steun ontlenen. De lesbrief kun
je downloaden op www.clavis.be en www.nbdbiblion.nl.